빌딩 투자,
그들은 어떻게 하는가

빌딩 투자, 그들은 어떻게 하는가

레버리지 투자의 정석

이명희 지음

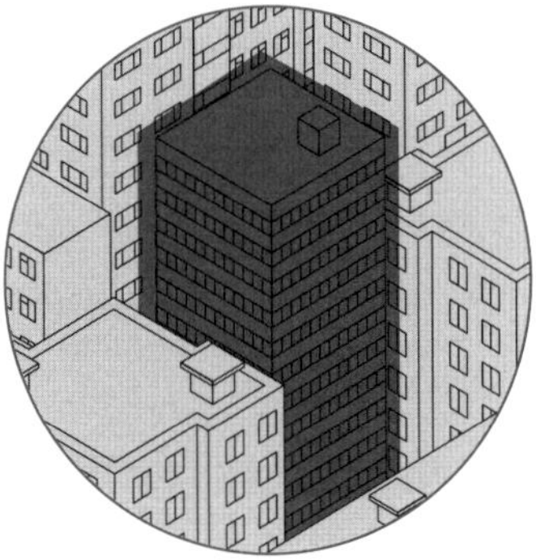

미래의창

머리말

요즘 부쩍 많아진 각종 투자 광고 문구에 필자 역시 부동산 투자 중개를 업業으로 삼고 있음에도 솔직히 마음이 편치 않다. '인공지능AI을 기반으로 한 자동화 투자일임 서비스'를 제공한다는 한 업체의 슬로건을 보면서 '감'에 의존하는 투자보다 정확한 '데이터'를 기반으로 하는 투자가 더 효율적이고 효과적일 수 있으려나 싶은 마음도 든다. 하지만 그럼에도 불구하고 내 고객이라면, 혹은 가까운 지인이라면, 이렇게 이야기해주고 싶다.

투자, "요즘 세상에 필요하지."

쉽게, "알려줄 수 있는데..."

알아서, "공부하고, 따져보고, 스스로 계획해볼래?"

그리고 필자와 함께 최종적으로 첫발을 내디뎌 보자. "믿고 맡기세요"는 무턱대고 믿겠다는 고객과 믿어도 좋다고 확언하는 전문가 양자 모두가 안일하다. 조금 더 강하게 말하면 무책임하다.

우리는 투자를 고민하고, 선택하며, 자산을 불리기 위한 방법을 모색하는 데 있어 더 이상 넋 놓고 있을 수 없는 오늘을 살고 있다. 리스크 없이 마음 편하게 은행에 차곡차곡 저축해도 이자 상승률이 물가 상승률보다 더딘 '저금리+인플레이션' 시대에는 가만히 있어도 자산 가치가 줄어드니 냉정히 말하면 저축은 더 이상 우리가 땀 흘려 번 돈을 안전하게 지켜줄 수 없다. 이는 곧 안정적인 삶을 살기 위해서는 매해 인플레이션 이상의 수익을 창출해내야 한다는 것을 뜻한다. 이와 같은 흐름 속에서 부동산 업계 역시 진입 문턱을 낮추기 위해 적은 금액의 투자자들을 품을 수 있는 펀딩(자금조달)식 조각 투자 플랫폼이 생겨났고, 이 시장은 계속해서 확산할 것으로 전망하고 있다.

문제는 대출로 빚을 지는 것도, 투자하는 것도 방 안에 누워 손가락 터치 한 번으로 모든 게 가능하다는 것이다. 빌딩의 매입·매각 과정을 온전하게 경험해보지 않은 사람이 스마트폰 화면을 몇 번 터치해서 하는 투자가 과연 기대만큼의 수익을 선물해 줄 수 있을까? 가감 없이 말하자면 필자가 한다고 해도 "글쎄"라는 말이 육성으로 먼저 터져 나온다. 알뜰살뜰 모아 결국에는 건물주가 되었다는 이야기가 이제는 고루하게 느껴질 만큼 빌딩 투자의 접근성이 하루가 다르게 가까워지고 있긴 하지만, 그렇다고 섣부른 도전과 성급한 선택을 해서는 안 된다. 반면에 내 인생에 마지막 건물을 살 것처럼 고민할 필요도 없다.

이 책에서는 빌딩 투자에 관심이 있지만, 빌딩 투자를 고민하고 있지만, 선불리 결심이 서지 않는 당신을 위해 필자가 빌딩 거래를 향해 첫걸음을 내디뎠던 당시를 떠올리며 서투른 글이지만 최대한 쉽게 기초부터 차곡차곡 쌓아 올렸다. 일단 직접 경험할 수 없다면 간접적으로라도 보다 빠르고, 보다 넓게 탁 트인 뷰view를 보여주고자 총 4층(부)으로 구성했다.

1층에서는 빌딩의 주인인 건물주, 그들은 과연 '갓물주'를 동경하는 사람들과 무엇이 다른지, 일종의 엿보기를 통한 간접 체험의 경험을 선사해주고자 한다. 2층에서는 '나도 한 번 내디뎌 보리라' 마음먹은 이들에게 설령 누군가는 안전한 돌다리라고 할지라도 한 번 더 두들겨 건널 수 있는, 혹은 내디딘 걸음의 보폭을 좁혀 보다 편하게 건널 수 있는 디딤돌이 되길 바라며 빌딩 투자 설계도를 만들었다. 3층에서는 기왕이면 '돈'을 부르는 빌딩을 소유할 수 있는 안목과 투자 근육을 키우는 데 초점을 맞췄고, 끝으로 4층에서는 거시적인 안목으로 부동산 시장의 흐름을 조망하다 좋은 매물을 순식간에 낚아채는 부동산 고수들이 현재 주시하는 투자 트렌드를 짚어봤다.

이를 통해 예비 건물주가 될 독자들과 투자 전문가가 서로 나란히 호흡을 맞춰 건물주 스스로 가치를 부여하고 높일 수 있는 빌딩에 성공적으로 한 걸음 내디딜 수 있기를 바란다.

이명희

차례

머리말 004

프롤로그: '있는' 사람들이 모인다는 그곳, 왜 빌딩인가 011

1층 빌딩의 주인은 무엇이 다른가

적재적소의 '목'을 볼 줄 아는 '안목' 027

기필코 이뤄내고야 말겠다는 '독기' 034

'때'를 놓치지 않는 결단력 039

무에서 유를 만들어내는 힘, 디벨롭 044

지출을 수익으로 전환하는 '전략' 051

2층

기초부터 하나씩 쌓아가는 고수의 빌딩 투자 설계도

투자 계획: #내돈내업, 가용 자산 수준을 고려하라 057

용도 설정: 어떤 빌딩을 원하는가 064

자금 조달: '갓물주'의 크레딧, 레버리지 활용법 071

위치 선정: '빌린이'에서 '불린이'로 이끄는 명당의 기준 077

건물 활용: 빌딩을 브랜딩하라 092

건물 운용: 아는 만큼 돈이 된다 101

잠깐! 놓치면 안 되는 것들: 세금과 문서 111

3층

투자의 시대, 돈을 부르는 빌딩은 어떻게 사는가

최저 금액으로 건물주 되는 길, 경매&공매 127

강남의 상가보다 강북·수도권의 빌딩이 더 낫다?! 137

빌딩 간접투자의 허와 실 142

기대수익이 나지 않더라도 기댈 수 있는 플랜B?! 154

4층

지금은 탈 강남 시대, 고수가 주목한 그곳

'판'을 뒤흔드는 도시기본계획 165

도심권의 핵폭풍, 데카르트 용산 169

철길 따라 '베드타운' 안녕, 날개 단 동북권 176

DMC 중심의 문화산업특화지역, 서북권 182

창조적 지식기반의 고용기능 확산지, 서남권 187

국제적 관광과 쇼핑기반의 중심지, 동남권 195

교통 수혜지 만한 곳 없다, 수도권 201

에필로그 209

프롤로그

'있는' 사람들이 모인다는 그곳, 왜 빌딩인가

빌딩building이란 무엇일까? 표준국어대사전에 따르면 내부에 많은 임대 사무실이 있는 서양식의 고층 건물을 뜻한다. '내부에 많은 임대 사무실이 있는'이라고 하니 막연하다. 많다면 몇 개를 말하는 것인지, 평수는 작아도 나눠진 공간의 개수가 많기만 하면 되는지, 그 경계가 모호하다. 두산백과에 따르면 한국에서의 빌딩은 사무실용의 철근콘크리트 또는 철골구조 등에 의한 중층中層 이상의 대형 건축구조물을 말하며, 이밖에 큰 규모의 은행, 호텔, 학교, 병원, 주거용 건축물을 포함한다. 대한건축학회의 건축용어사전에서는 내부에 많은 임대 사무실이 있는 서양

빌딩의 용도별 구분

빌딩
(수익형 부동산)

주거용	상가용	산업용	숙박용
상가주택 (점포 겸용 주택)	**근린상가** (주거지역 인근에 입지)	**지식업무센터** ((구)아파트형 공장)	**레지던스**
다가구주택 (단독주택)	**단지 내 상가**	**물류창고**	**게스트하우스**
준주택 (기숙사, 고시원, 노인복지주택, 오피스텔 등)	**테마상가** (동대문 의류상가, 복합테마상가 등)	**오피스** (사무용 빌딩)	**펜션**
도시형생활주택 (단지형 연립, 단지형 다세대, 원룸형 주택 등)	**주상복합상가** (주거와 상업 용도가 복합되어 20세대 이상이 주거하는 건물)	**업무용 오피스텔**	**모텔**
오피스텔			**호텔**

식의 고층 건물로 부동산의 일종이며, 임대빌딩, 점포(상가)빌딩, 오피스빌딩으로 나눈다.

이처럼 빌딩에 대한 여러 가지 사전적 정의가 있지만 여기서는 주거의 개념으로 존재하는 부동산 이외에 수익을 발생시키는 부동산, 쉽게 말해 임대를 통해 지속적으로 수익을 창출해내는 '세勢'를 불릴 수 있는 건물을 통칭하는 것으로 정의하고자 한다.

격변하는 시장에서의 빌딩의 가치 창출

요즘 주위를 둘러보면 20~30대는 말할 것도 없고 10대들까지 스마트폰을 들여다보며 주식과 코인(가상화폐) 투자에 열을 올리는 분위기다. 이 유례없는 투자 광풍은 대체 어디에서부터 몰려왔을까? 이른바 내 월급만 빼고 다 오르는 시대에 집값은 천정부지로 오르고 사상 초유의 저금리가 지속되면서 '내 집 마련'이 그 어느 때보다 절박해졌기 때문이다. 여기에 인터넷 발달과 스마트폰 사용이 대중화되면서 유튜브, SNS, 단톡방(단체 메신저 방) 등 각종 투자 정보를 빠르게 얻을 수 있는 디지털 통로가 늘어나 접근성이 한결 편리해진 것도 투자에 불을 지피는 데 일조하고 있다. '2021년 신규 개설된 주식 계좌의 절반 이상은 2030세대가 주인'이라는 국내 금융 투자사들의 분석 결과가 이를 방증한다.

그렇다 보니 가만히 손 놓고 있다가 나만 뒤처지는 것 아닌가 조바심마저 들지만, 날이 밝기가 무섭게 요동치는 그래프에 연일 사람들의 희비가 엇갈리고, 24시간 스마트폰에서 눈을 떼지 못해 가중된 피로로 본업에 지장을 초래하는 경우도 다반사니 덜컥 겁이 난다는 사람들도 적지 않다. 열심히 일해서 번 돈을 모아 나아가지는 못할망정 이래저래 빼앗기는 것만 같은 요즘, 평균 수명은 늘고, 그에 비해 빨라진 은퇴에 대비해 큰 욕심을 부리지 않더라도 노후에 안정적인 삶을 유지하기 위한 투자와 재테크는 모든 사람에게 필요 불가결한 노력임이 틀림없다.

다만, 불안감을 떠안고 등 떠밀리듯 뛰어드는 한탕 투자는 숨을 고를 필요가 있다. 대출까지 받아서 주식과 가상화폐 투자에 나서는 것이 일종의 유행처럼 번지고 있지만, 혹시라도 시시각각 급등락에 요동치는 투자가 자신과 맞지 않는 것 같다고 생각하는 사람이라면 지금 이 순간, 한 박자 숨을 고르면서 빌딩으로 시야를 넓혀보라. 흔히 말하는 '건물주'가 결코 나와는 거리가 먼 곳의 이야기가 아님을 알게 될 것이다.

신흥 건물주들은 어떻게 빌딩을 샀을까

하늘 높은 줄 모르고 치솟는 아파트값에 20~30대가 영혼까지 끌어모아 하루라도 빨리 내 집 마련에 혈안이 된 불안감이 유례없이 고점을 찍고 있다는 최근 몇 년 새 수익형 부동산, 즉 빌딩 시장에도 영앤리치young & rich로 일컬어지는 40대 신흥 건물주들이 큰손으로 급부상 중이다. 그들은 아마 금수저이거나 스타급 연예인, 아니면 유명 인플루언서나 고소득 전문직과 같은 일반적인 직장을 다니는 월급쟁이인 나와는 관계없는 사람들이라고 으레 생각하기 마련이지만 건물주를 꿈꾸는 누군가에게는 다음 사례들이 분명 좋은 참고와 지표가 될 것이다.

신흥 건물주들의 빌딩 매입 비교

	A씨(43세)	B씨(40세)	C씨(44세)	D씨(45세)	E씨(45세)
취득 시기	2019년	2019년	2020년	2020년	2021년
위치 /유형 (면적)	관악구 /근린생활시설 (172㎡ 약 52평)	마포구 /근린생활시설 (179㎡ 약 54평)	강북구 /근린생활시설 (139㎡ 약 42평)	마포구 /근린생활시설 (198㎡ 약 60평)	용산구 /근린생활시설 (132㎡ 약 40평)
매입 가격	28억 원	32억 원	25억 원	19억 원	33억 원
자금 조달	현금 8억 원 담보 대출 20.5억 원	현금 11억 원 담보 대출 22.4억 원	현금 7억 원 담보 대출 18.7억 원	현금 7억 원 담보 대출 13.5억 원	현금 10억 원 담보 대출 24.5억 원

A씨는 IT 업계 회사의 차장으로 상여금과 성과금을 포함해 연봉 1억 2천만 원, 아내는 대치동의 학원강사로 연봉은 1억 3천만 원이다. 35세의 다소 늦은 나이에 결혼해 5살짜리 딸 하나를 둔 3인 가족으로 결혼 시기가 늦은 만큼 각자 모은 돈이 있었던 데다 양가 부모님의 도움으로 집에 대한 부담을 덜 수 있었던 것은 사실이다. 그래서 맞벌이 부부로 월급을 차곡차곡 모아 불리는 것이 가능했다. 1억 원을 모았을 때 건물을 매입해야 겠다고 결심했고, 월급의 절반은 무조건 저축한다는 목표로 10년 만에 8억 원을 만들어 첫 건물을 매입했다.

B씨는 혼자 사는 1인 가족으로 대학 입학을 기점으로 지방에서 서울로 올라와 서울 집에 대한 욕망이 남달랐던 것이 동기부여가 됐다. 금융계 취업을 하고 보니 주변에 금수저들 천지였고, 가족 모두가 말렸지만 무조건 된다는 생각으로 강남에 집을 사겠다고 작정하고 무리해서 갭 투자*를 진행했다. 영혼까지 끌어모은다는 '영끌'의 성공 케이스로 아파트 두 채를 팔아 세금을 납부하고 손에 쥔 현금 11억 원의 종잣돈을 만들어 건물을 매입했다.

C씨는 20대 후반에 변호사가 되어 로펌에서 일하고 있다. 초

---

* 전세를 끼고 주택을 매입해 시세차익을 노리는 부동산 투자 방식이다. 예를 들어 매매가격이 10억 원인 주택의 전세가가 9억 원이라면 전세를 끼고 1억 원으로 집을 사는 것이다.

봉이 1억 6천만 원이었고, 현재 수임료는 연소득 5억 원 규모다. 아내는 전업주부로 중학생인 두 아들을 키우는데, 들어가는 돈이 상당해 생각보다 돈을 모으는 게 쉽지 않았다. 이대로는 안 되겠다 싶은 마음에 자주 다니는 서초동 법원 앞 건물에 투자하려 했지만 모두 50억 원 이상을 호가해 가지고 있는 7억 원으로는 꿈도 꿀 수 없었다. 결국 호재好材가 있는 강북 투자를 먼저 시작해 보기로 했다.

D씨는 독신 여성이다. 피부과 원장으로 연평균 개인소득은 세전 4억 원, 세후 2억 4천만 원 정도다. 병원 건물로 사용하고자 욕심을 냈지만 일단은 재테크 용도로 건물을 매입했다. 아직 상권이 형성되지 않은 상대적으로 저평가된 곳이지만 소신껏 오를 것이라고 예상하며 '지른' 경우다.

E씨는 화장품 온라인 쇼핑몰을 운영 중이다. 결혼 3년 차에 딸을 포함한 3인 가족의 가장으로 회사가 5년 만에 급성장해 2021년 순수입만 5억 원을 달성했다. 10억 원을 토대자금으로 해서 첫 빌딩 매입에 나서게 됐다.

이를 보면 신흥 건물주들은 7~10억 원 정도를 모았을 때 빌딩을 매입했다. 하지만 빌딩 매입을 계획한 건 훨씬 더 이전이다. 그러므로 지금부터 빌딩 매입을 목표로 가용 자산부터 모아보자. 뭐든 시작이 반이고 그 시작은 빠르면 빠를수록 좋다.

가치가 급등락하지 않는 안전자산

"2021년 1분기, 서울의 수익형 부동산 매매총액 9조 1,874억 원, 거래 건수 4,209건! 집계가 시작된 2006년 이후 1분기 기준 최대 수준이다."

부동산 정보 제공업체 부동산114가 2021년 상반기 국토교통부의 실거래가 공개시스템 자료를 분석한 결과에 따르면 교육연구와 판매시설을 제외한 서울의 수익형 부동산 대부분은 코로나19라는 전 세계적인 악재에도 불구하고 오름세를 기록했다. 그중에서도 거래총액의 증가 폭이 큰 건물은 안정적인 임대수익을 확보할 수 있는 오피스 등의 업무시설과 다양한 업종의 입점이 가능한 근린생활시설*이었다.

흔히 '투자와 재테크의 3대 원칙'으로 안전성, 수익성, 환금성(유동성)을 꼽는다. 안전성은 얼마나 안전한 투자인지, 원금보장이 가능한지, 투자한 자금이 묶이지 않고 꾸준하게 수익이 발생할 수 있는지고, 수익성은 투자한 자본에 비해 얼마만큼의 이익이 나는지, 환금성은 필요할 때 언제든 현금화할 수 있는 투자

---

* 일반적으로 주택가와 인접해 주민들의 생활 편의를 도울 수 있는 시설이라 할 수 있다. 근린생활시설은 건축법에 따라 제1종 근린생활시설과 제2종 근린생활시설로 분류한다.

연도별 1분기 서울 상업·업무용 부동산 매매 거래총액 추이

* 2021년 4월 6일 조사 기준
* 상업·업무용 부동산: 숙박, 업무, 판매, 교육연구, 근린생활시설 등을 포함

자료: 국토교통부 실거래가 공개시스템, 부동산114

서울 상업·업무용 부동산의 건축물 주용도별 매매 거래총액 비교

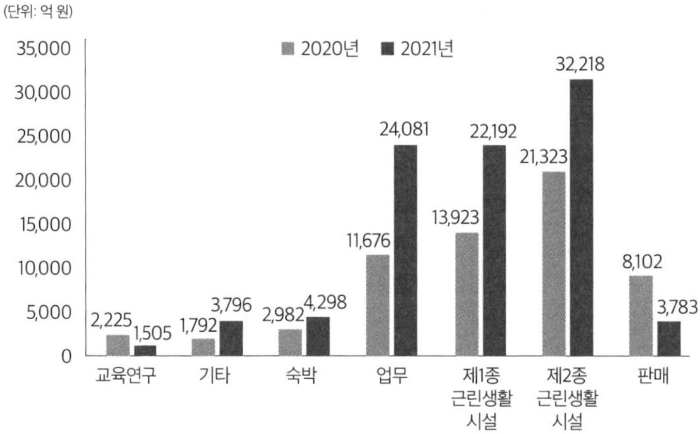

* 2021년 4월 6일 조사 기준(계약일 기준)

자료: 국토교통부 실거래가 공개시스템, 부동산114

대상인지, 즉 팔고 싶을 때 당장 원하는 가격에 팔아 현금을 손에 넣을 수 있는지다.

지금까지는 단연 아파트가 안전성, 수익성, 환금성의 삼박자를 고루 갖춘 투자처로 사람들에게 각광받아 왔다. 그러나 최근 아파트 시장이 청약 및 대출 규제와 양도소득세 강화, 전매 제한 등 전방위적인 압박을 받고 있고, 금리 인하로 예·적금 수익이 줄어들면서 비교적 높은 수익을 얻기 위한 기존 고객들의 예·적금 이탈 현상도 늘어나는 추세다. 실제로 부동산 조사·관리/공시·통계 전문기관인 한국부동산원에 따르면 2020년 상업용 부동산 투자 수익률은 연 4~6%에 달한 데 반해 정기예금은 연 1.05%에 그쳤다.

부자들은 잃는 투자보다 지키는 투자를 한다. 수익형 부동산인 빌딩은 기본적으로 임대해서 월세를 받는 구조로 매달 안정적으로 수익이 들어온다. 주식이나 가상화폐에 비해 깡통 찰 위험이 적어 상대적으로 안정성을 보장받는 자산이기도 하다. 환금성은 안전성과 수익성의 연장선상에서 볼 필요가 있다. 수익형 부동산에서 '환금성이 좋다'는 표현은 곧 팔고자 할 때 매입할 수요자가 많다는 것을 의미한다. 그러므로 수요자는 해당 건물의 안전성과 수익성을 가장 크게 염두에 두고 있을 가능성이 높아 안전성과 수익성이 높은 부동산은 환금성도 좋다.

수익률은 숫자에 불과, 중요한 건 '세'력

빌딩의 수익성이라고 하면, 건물을 사고팔 때 지가 상승을 통해 얻는 시세차익과 임대를 통해 매달 현금을 손에 쥘 수 있는 임대 수익 두 가지를 고려할 수 있다. 만약 순수 임대를 목적으로 건물을 매입한다면 수익률은 다음과 같다.

연 수익률=월 임대료×12/투자 원금(매매가-보증금)×100

빌딩 매매가 10억 원, 월 임대료는 500만 원이라고 가정하면, 500만 원×12/10억 원×100=6%를 수익률이라 한다. 단, 이건 어디까지나 대출 없이 순수 자기자본으로 건물을 매입했을 경우다. 대부분의 경우 대출을 받아 매입하므로 본인 자본에 연간 대출이자 3% 조건으로 은행 대출금 5억 원을 포함해서 매입했다고 가정하면 수익률 계산법은 다음과 같고, 연 수익률은 500만 원×12-1,500만 원/5억 원(빌딩 매매가-대출금)×100=9%가 된다.

연 수익률={(월 임대료×12)-(연간 대출이자)}/투자 원금
(매매가-보증금-대출금)×100

수익률 9%라니 솔깃하지 않나? 많은 사람들이 이런 숫자에

속아 '수익률의 함정'에 빠지기 십상이다. 시중에 떠도는 수많은 수익형 부동산 광고들이 대문짝만한 글씨로 높은 수익률을 제시하며 사람들을 현혹한다. 하지만 수익률 계산법에서 꼭 명심해야 할 것은 대출금이 커질수록 투자 원금은 낮아지기 때문에 수익률은 마냥 높아지기 마련이라는 것이다. 수익률로 건물의 가치를 판단할 때에는 반드시 대출을 제외한 임대수익과 투자금액으로 계산해야 한다. 수익률이 보여주는 숫자는 떨어질지언정 매달 현금이 안정적으로 통장에 꽂힐 수 있는가에 무게의 축을 두는 것이 진짜 수익성을 높이는 길이다.

—

"부자 아빠와 가난한 아빠의 차이는 소득이 자동적으로 발생하게 되는 시스템을 만드는 데 있다."

열심히 일해서 번 돈을 통장에 넣어도 사실상 제로금리의 시대, 내 월급은 그대로인데 물가는 계속 상승하고, 열심히 벌어 모을 줄만 아는 성실한 사람이 오히려 제대로 살고 있는지 반문하며 무기력해지는 시대, 점점 더 멀어져가는 2030세대의 내 집 마련의 열망과도 어깨를 나란히 하며 부동산 대란, 주식 대란, 가상화폐 대란 속 급기야 스마트폰으로 미술품 소유권, 음원 저작권 등을 나눠서 소유하는 초간편·초스피드 '조각 투자'까지, 바야흐로 투자 대혼란混亂의 시대다.

《부자 아빠 가난한 아빠》의 저자 로버트 기요사키Robert Toru Kiyosaki의 말처럼 지금까지 매사 새마을 운동에 임하듯 열심히 일하고 노력해서 땀 흘린 만큼 비약적 경제 성장을 이뤄낸 한국인들에게 노동소득보다 자본소득의 상승 폭이 큰 시대의 변화는 서글픈 과도기가 아닐 수 없다. 환금성은 좋지만 안정성이 떨어지는 주식과 가상화폐, 수익성은 뛰어나지만 대를 이을 각오로 장기적인 관점이 필요한 토지, 안전 자산인 부동산의 시세차익과 꾸준한 수익을 발생시키는 수익형 부동산인 빌딩 투자를 통해 수익 창출이 필요 불가결한 시대에서 살아야 한다면 최대한 넓고 빠른 정보 습득을 기본으로 취향에 따른 선택을 해야 한다.

이 책은 세상은 넓고, 정보는 넘쳐나는 오늘날, 더욱더 빠르고 보다 넓게 우선순위를 정해 투자 시야를 넓히고 싶은 당신을 위한 맞춤형 망원경이자 '명품 빌딩'으로 향하는 당신의 돌다리를 두들겨줄 균형감 있는 안전한 지름길이 되어주고자 한다.

빌딩의 주인은 무엇이 다른가

적재적소의 '목'을 볼 줄 아는 '안목'

2021년 해체 직전, '롤린Rollin''이라는 곡으로 4년 만에 각종 음원 차트 1위를 휩쓸며 역주행의 신화를 이뤄낸 걸그룹 브레이브걸스의 소속사 브레이브BRAVE엔터테인먼트(이후, 엔터테인먼트는 생략)가 소규모 기획사로서 끝까지 버텨낸다는 속칭 '존버정신'의 성공 사례로 대중의 박수를 받았다. 이와 함께 이들의 신사옥 설립 계획 또한 세간의 스포트라이트를 받았다.

서울 서초동과 역삼동에 두 채의 사옥을 보유하고 있던 브레이브는 2013년 역삼동 5층짜리 건물을 13억 8천만 원에 매입, 리모델링해 사옥으로 사용했다. 이후 8년 만인 2021년에 69억 8천만 원에 매각해 (기타 비용 제외하고) 약 51억 5천만 원의 수익을 거뒀다. 2014년 12억 3천만 원에 매입한 서초동 사옥은 6년 만에 40억 원에 매각해 단순 시세차익으로만 계산하면 27억 7천만 원, 리모델링 비용과 세금 및 기타 부대 비용을 제외하더라도 두 건물의 시세차익은 어림잡아 70억 원 정도로 추산된다.

브레이브의 수장인 용감한 형제가 개인 SNS에 조감도 사진을 공개한 10층 규모의 신사옥(대지 420.8㎡, 전체면적 1,269.7㎡)은 서울 광진구 지하철 5호선 군자역과 아차산역 중간 지점으로 2020년 64억 원에 매입했다. 브레이브는 "업무의 효율성을 높이기 위해 역삼동과 서초동에 나뉘어 있던 사옥을 한곳으로 합치려고 한다"고 건물 매각 및 매입에 관한 입장을 밝혔다.

부의 축적, 자산의 증식과 관련된 이야기는 만인의 관심사일 터, 특히 유명인일 경우 어김없이 인터넷 포털 기사 검색 순위 상위권에 오른다. 부동산 업계에서도 관련 이슈가 불거지면 이를 둘러싼 각종 설왕설래가 오간다. 직관적으로 드는 의문은 과연 수익불패로 여겨지는 강남을 벗어난 사옥 이전 행보가 수지타산 측면에서 성공적인 판단인가라는 것이다. 광진구 능동의 경우 입지 조건만 보면 특별한 개발 호재가 없고, 인근의 군자역 사거리도 구舊도심이라 가격 상승의 여력은 크게 없어 장기적으로 강남과 서초의 사옥을 보유하고 있는 것이 이득일 것이라는 전망도 있다.

모두가 '강남불패'를 외칠 때 '탈강남'을 외치다

지금껏 강남은 케이팝K-POP과 떼려야 뗄 수 없는 상징적인 지역 중 하나였다. SM엔터테인먼트, JYP엔터테인먼트를 비롯해 크고 작은 유수의 엔터테인먼트 회사들이 헤어, 의상, 스튜디오 등 관련 인프라가 집결된 강남에 터를 잡았고, 한류 열풍을 함께 이끌었으며, 급기야 월드 스타 싸이의 '강남스타일'과 더불어 강남은 세계인들의 머릿속에 두 글자를 선명히 각인시킨 글로벌한 지역 브랜드가 됐다.

그런데 최근 들어 케이팝 강남 시대가 저물어가고 있다. BTS(방탄소년단)가 소속된 하이브HYBE(구 빅히트엔터테인먼트)엔터테인먼트는 2021년 강남구 대치동에서 용산구로 사옥을 이전했고, JYP는 2018년 강남구 청담동에서 강동구 성내동으로, 압구정동, 삼성동, 청담동에 흩어져 있던 SM 또한 2021년 성동구 성수동으로 본사 이전을 마쳤다. SM은 앞으로 분산되어 있던 계열사 사무실을 모두 이곳으로 모으겠다는 계획이다.

이들의 '탈脫강남' 행보에는 공통점이 있다. 하이브는 2020년 사옥 이전을 발표하며 "신사옥으로의 이전은 인력 규모의 급성장과 필요 시설 확충에 따른 변화로, 탄탄한 물리적 · 공간적 기반을 통해 본격적인 톱 글로벌 기업으로 도약하기 위한 근거지가 될 예정이다"라고 밝혔다. JYP의 최대 주주이자 사내이사인 박

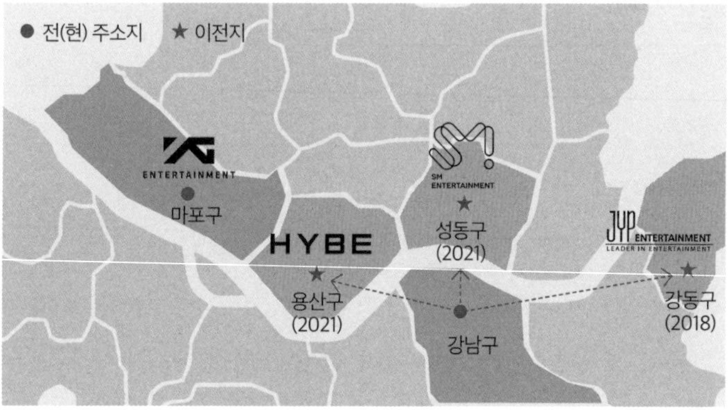

출처: 각 엔터테인먼트

2018년 JYP를 시작으로 2021년에 하이브, SM까지 거대 엔터테인먼트들이 모두 탈강남 행보를 보이며 사옥을 이전했다.

진영도 2018년 맥쿼리증권이 주관한 강연에서 워라밸 시대에 부합하는 일과 삶의 균형, 행복에서 오는 창의력의 중요성을 언급하며, "단순히 장소를 옮기는 차원이 아니라, 흩어져 있는 부서들을 통합해 대량의 콘텐츠를 생산하면서도 높은 질을 유지할 수 있는 효율적인 시스템을 구축해 이를 도약을 위한 기회로 삼고자 한다"고 신사옥 설립과 이전의 취지를 강조한 바 있다. 이들에게 있어서 탈강남은 곧 단순한 투자와 재테크 수단으로서의 빌딩이 아닌 분명한 목적을 가진 빌딩의 가치를 볼 줄 아는 '안목'에서 결정한 좋은 '목'이다.

수단은 목적을 압도할 수 없다

YG엔터테인먼트는 모두가 강남으로 진출하던 시기인 2000년대 초반 마포구 합정동에 둥지를 틀었다. 2007년 28억 1천만 원에 경매로 낙찰받은 낡은 건물을 헐고 지하 1층~지상 7층 규모의 빌딩을 신축한 것을 시작으로 회사의 규모를 키워나갔다. 이후 소속 아티스트들의 성장세에 힘입어 사옥 근처에 있는 다가구 주택들을 시세보다 3~5배나 높은 가격에 사들였다. 당시 YG의 행보에 의아해하며 무모하다는 시각이 있었지만, 결과적으로 실내 면적 6천 평, 지하 5층~지상 9층 규모의 신사옥을 건축해 합정동 일대를 새로운 연예기획사 타운으로 변모시키는 데 일조함과 더불어 지역의 동반 가치 상승을 이끌었다.

브레이브가 선택한 신사옥 예정지인 광진구의 평당가는 대로변임에도 불구하고 강남의 절반 정도로 강남과의 접근성이 좋으면서 성수동, 용산 등 평당가가 강남과 비슷한 지역에 비해 아직 가격 상승의 여지가 남아 있다고 보인다. 또한 매각한 강남의 사옥 두 채 중 메인 사옥 격이었던 역삼동 사옥은 내부에 설치된 에스컬레이터와 대표실로 직행할 수 있는 전용 엘리베이터, 모니터링을 위한 영화관이나 2개 층을 하나로 합친 1개 층 등의 설계가 워낙 특이해 많은 직원을 수용하기에는 한계가 있었다.

그럼에도 불구하고 누군가는 입지적으로 볼 때 강남 및 서초

YG엔터테인먼트는 기존 사옥 바로 옆에 신사옥을 짓기 위해 근처 다가구주택들을 시세보다 3~5배 높은 가격으로 사들였다. 2020년에 완공된 이 빌딩은 현재 시세(2021년 기준) 약 1,800억 원으로 추정된다.

에 비해 앞으로 특별한 개발 호재가 없어 보이는 광진구로의 사옥 이전 계획이 다소 아쉬운 행보라고 평가할지 모르겠다. 하지만 투자란 늘 리스크를 동반하기 마련이다. 사옥의 가격은 나날이 상승할지 모르지만 비싼 땅에서 조각조각 흩어져 본연의 기능을 효율적으로 수행하지 못하는 엔터테인먼트 회사와 건물의 가격 상승률은 다소 더디더라도 인력풀이 한곳에 모여 보다 나은 아웃풋output을 창출해내는 엔터테인먼트 회사가 투자 리스크에 직면한다고 가정할 때, 전자는 사옥 가격이 예상을 뒤엎고 떨어질 경우 회사 기반이 흔들리는 위기를 맞닥뜨릴 수 있지만, 후자는 예상보다 높은 사옥의 가격 상승을 경험할 때 플러스알파의 이익을 얻게 된다.

돌다리 두드리기

수단보다 선행되어야 하는 건 분명한 목적이다

빌딩으로 향하는 당신의 발걸음이 단순한 수단 이상의 뚜렷한 목적을 가질 때 당신의 시야는 한층 더 넓어지고 안목은 더 깊어진다.

기필코 이뤄내고야 말겠다는 '독기'

배달원 품귀현상에 배달 기사들도 집단행동에 나서 제 목소리를 내는 요즘 시대에는 상상할 수 없었던 1970년대, A씨는 말이 좋아 투잡two job이지 인정사정없었던 중국집 사장 밑에서 서빙과 배달, 때로는 조리사까지 1인 3역을 소화하며 몰상식한 고객을 하루에도 여러 차례 응대하던 소년 종업원이었다.

더 이상 떨어질 곳 없는 청년 가장의 무게

일찍 아버지를 여의고 어머니와 형제들을 책임져야 했던 소년가장은 학비를 내지 못해 정학을 맞고 생활비를 벌기 위해 가출을 감행했다. 처음 일한 곳은 중국집으로 어쩌다 손님이 남기고 간 군만두를 집어 먹었다가 두들겨 맞기도 수차례, 구박과 구타가 태반이었던 고참 배달부들의 텃세에 그곳에서의 삶도 녹록지 않았다. 희망이라곤 보이지 않던 삶에서 탈출할 수 있는 유일한 방법은 기술을 배우는 것이라 생각한 그는 배달하면서 눈여겨본 한 공장을 찾아가 사장님께 무턱대고 취직을 부탁했다. 어리다는 이유로 번번이 거절당하기 예사였지만 그는 포기하지 않았다. 중국집에 출근하기 전 새벽마다 공장 앞을 청소하며 공들인 끝에 6개월 만에 취직에 성공할 수 있었다. 사실 말이 취직이지 무급에, 종일 공장 노동자들의 눈치를 봐야 하는 잔심부름꾼에 불과했다.

시간이 지나면서 잔심부름만 하던 그에게 하나둘 일감이 주어졌고, 기술자가 되기까지 다른 곳에 눈 돌릴 겨를 없이 오로지 일만 했다. 기술을 배우고부터는 돈도 벌 수 있었다. 많지는 않았지만, 고향에 있는 가족들에게 생활비를 보내며 뭔가 희망이 보이는 것 같았다. 하지만 얼마 지나지 않아 그에게 또 한 번의 큰 시련이 닥쳤다. 20년 이상 살아온 고향 집의 주인이 바뀌면서 집을 비워 달라는 청천벽력 같은 소식이었다. 어머니에게서 건네받은 땅문서를 들고 복덕방(부동산)으로 달려갔더니 그건 계약서일 뿐 등기권리증이 있어야 한다고 했다. 등기권리증이라니 난생처음 듣는 용어였다. 알고 보니 아버지가 살아 있었을 당시(1950년대) 친구를 믿고 습자지에 쓴 계약서였고, 아버지가 돌아가신 후 본인 명의로 땅을 샀던 그 친구가 땅을 팔면서 아버지 몫까지 전부 등기이전을 해 다른 사람에게 양도함으로써 벌어진 일이었다.

일찍이 눈뜬 울타리에 대한 욕심은 독기가 되어

군 생활은 그에게 오히려 휴가와 같았다. 제대 후 생활이 막막해진 그는 처음 기술을 배운 그 공장을 다시 찾았다. 그에게 남은 건 독기뿐이었다. 숙식마저 공장에서 해결하며 악착같이 돈을 모았고, 30대가 되어서 자신의 사업을 시작했다. 물론 말이 좋아 사업이지 지인의 공장 한구석을 빌려 기계 한 대 들여놓은 것이 전부였다. 그는 이렇게 일하며 아끼고 모은 돈으로 해마다 장비를 업그레이드해 규모를 차근차근 키워나갔다.

더 넓은 곳으로 사무실도 옮기고 사업도 점점 확장했지만, 기쁘면서도 고달프지 않다면 거짓말이었다. 이사를 할 때마다 자식과도 같은 장비에 생채기가 나는 일이 다반사였고, 다달이 나가는 월세의 압박도 컸다. 무엇보다 돈벌이에 전전긍긍하지 않고 안정적인 터전을 꾸리고 싶은 욕심은 누구나 꿈꾸는 일일 터, 그렇게 그는 당연한 수순처럼 종잣돈 3억 원이 모이자 건물 매입에 나섰다. 10대에 이미 가족의 생계를 책임지기 위해 사회생활에 뛰어들었던 그가 30년 만에 빌딩으로 내디딘 첫걸음이었다.

꿈꿀 수 있는 안전한 발판이 되어준 건물

그의 첫 빌딩은 서울 중구에 위치한 건물이었다. 중구는 배달원에서 기술자로 소년을 이끌어준 뜻깊은 곳이기도 했다. 약 50평대 건물로 매입가는 11억 원, 대출을 받자니 너무 큰 빚을 지는 마음이 들었지만, 가격이 천정부지로 오르고 있어 더 늦으면 안 되겠다 싶은 마음에 결단을 내렸다. 2000년 당시 평당 2천만 원이 넘는 금액이었으니 결코 저렴한 매매가는 아니었다. 하지만 임대수익을 따져보니 한 달에 600만 원가량의 수익이 발생해 일을 하지 않아도 충분히 먹고 살 수 있겠다는 계산이었다.

어엿한 건물주가 된 그는 소년에서 반백 살을 훌쩍 넘긴 인생 후반부에 접어들었지만, 천상 실무자로 살아온 들끓는 에너지를 어찌 쉽게 꺼트릴 수 있겠는가. 그는 건물 매입 후에도 단순 관리자이기보다 현장에서 발로 뛰는 실무자 역할을 놓지 않았다. 지금은 공장 두 곳과 업무용 사옥까지 건립한, 300명의 직원을 둔 한 기업의 회장이다.

하지만 노동집약적 산업의 황금기에는 쉴 새 없이 돌아갔던 공장이 해를 거듭할수록 예전 같지 않아졌다. 열에 아홉은 은퇴 후 있는 것을 지키기에 급급한 인생 후반부를 맞이한 그지만, 그는 여전히 현역에서 신사업과의 연계와 도전을 준비 중이다. 그가 소유한 빌딩'들'에서 나오는 총 임대료는 약 1억 8천만 원으로, 꿈은 그를 빌딩으로 이끌었고, 빌딩은 그에게 또 다른 꿈을 꿀 수 있는 가능성을 가져다준 든든하고 안전한 발판이 됐다. 그가 포기하지 않고 성장에 성장을 거듭할 수 있었던 가장 큰 원동력은 어릴 적 가족의 안전을 위협받으며 소중한 터전에서 쫓겨날 뻔했던 두려움과 상실감이 8할이었다고 한다.

돌다리 두드리기

사업은 기울어도 '세'는 남는다

밖에서 높은 건물의 꼭대기만 올려보지 말고, 원하는 건물 안으로, 원하는 층으로, 원하는 평수로 작은 '세'부터 불려나가자. 차근차근 불려나가는 안전자산은 당신의 세상 또한 함께 업그레이드시켜줄 것이다.

'때'를 놓치지 않는 결단력

B씨는 IT업체에서 퇴직을 앞둔 성실한 40대 가장이었다. 허투루 쓰는 돈 없이 알뜰살뜰하게 살아왔다고 자부하는 그에게 인생의 목표라면 내 집 마련의 꿈. 아파트값으로 사람들의 삶을 줄 세우기 하는 듯한 속칭 '아파트 계급화' 시대에 서울에 있는 자그마한 아파트에 살며 소위 말하는 학군 좋은 곳의 아파트 한 채 장만을 위해 달려왔다. 이런 노력 끝에 서울의 내로라 하는 곳에 아파트를 장만하고 나니 남편이나 아버지로서 나쁘지 않은 목표를 달성했다고 생각했다. 하지만……

가진 자산을 최대한 활용하라

그만하면 괜찮지 싶었던 40대 월급쟁이 가장에게 100세 시대는 '앞으로 절반의 생은 어떻게 살아야 할 것인가'라는 막막함과 갑갑함으로 다가왔다. 더군다나 은퇴 시기가 빨라진 요즘, 여생을 보낼 수 있는 자금으로 지금 과연 충분한 것인가에 관한 현실적인 고민이 하루하루 그를 옥죄였다.

결국 그는 담보 대출을 받아 꼬마빌딩을 매입하기로 계획했다. 가용 자산을 올인all in하되, 안정성이 무엇보다 중요했기 때문에 내린 나름의 결정이었다. 2000년대 초 갭 투자로 7억 원대에 매입한 반포의 아파트 한 채가 10여 년 후, 당시 20억 원대로 올랐고, 그는 이 아파트를 매각하기로 했다. 가용 자금은 세금과 전세금을 제외하고 약 8억 원이 남는 상황이었다. 여기에 빌딩 담보 대출을 염두에 두고 20억 원대 수익형 부동산을 목표로 삼았다.

목표가 생기자 정보가 필요했다. 발품을 팔며 투자 세미나도 다니고 중개업소만 해도 수십 곳을 다녔다. 건물은 아파트 매입과는 차원이 달랐다. 뜬소문이나 잘못된 정보로 헛고생하기는 다반사, 서류를 볼 줄 몰라 하마터면 은퇴 자금이 날아갈 뻔한 적도 있었다. 공부를 열심히 했다고 생각했는데 현실은 호락호락하지 않았다. 심지어 그러는 동안 매물 가격은 계속 올라 결정하기 더 어려워졌다.

그렇게 1년여의 세월을 보내고 우여곡절 끝에 필자를 만났을 때 그가 입지와 조건이 마음에 든다며 내민 후보는 용산구와 마포구 두 군데의 대로변에 위치한 꼬마빌딩이었다. 용산구에 있는 A빌딩은 땅은 좁지만, 신축건물이라 높고 깔끔했다. 반면 마포구에 위치한 B빌딩은 땅은 넓은데 층수가 낮고 허름해서 리모델링이 필요했다. 그러면 이를 위한 추가 예산까지 계산해야 하는 데다가 지하에 교회가 있어서 리모델링을 할 경우 교회가 쉽게 이사를 해줄 것인지도 생각해야 했다.

그는 고민 끝에 A빌딩 매입을 결정했다. 약 200㎡(약 60평), 지상 4층의 30억 원짜리 건물이었다. 물론 그가 혼자 알아보면서 보낸 1년 사이에 가격이 많이 올라 안타깝고 속상하긴 했지만, 곧 생길 지하철역 출구 바로 근처라 분명 가격이 상승할 것이라고 판단했다. 결정을 하고 나니 실행은 한결 과감했다.

부동산은 결국 입지

비로소 건물주가 된 감격스러움도 잠시, 신축에 평수가 작아서 1층 임대가 공실이 되어 버렸다. 지금 생각해도 식은땀이 절로 흐른다. 다행히 커피숍을 시작으로 전 층 임대가 완료되면서 월 수익 800만 원이 생겼다. 월 대출이자가 430만 원이었으니 이를 납부하고도 350만 원이 남아 실패한 투자는 아니라 생각했다.

문제는 월 대출이자가 수익의 절반가량을 차지하다 보니 공실의 위험에서 자유로울 수 없다는 것이었다. 아니나 다를까 1층에 있던 커피숍 임차인이 생각보다 장사가 되지 않는다며 나가겠다는 거 아닌가. 빠듯한 은행 이자 감당에 눈앞이 깜깜해졌다. 그런데 부동산은 입지라 했던가. 다행히도 입지가 좋은 탓에 임대를 원한 프랜차이즈 음식점은 커피숍보다 더 높은 월세를 제시하고 들어왔다. 이후 이 프랜차이즈가 줄 서서 먹는 맛집이 되면서 다른 층들의 임대도 안정적으로 유지됐다.

그런데 왜 커피숍은 장사가 잘 안됐을까? 노부부였던 그들은 장사를 한 번도 해보지 않은, 소일거리 삼아 가게를 시작했던 사람들이었다. 정해진 영업시간 없이 힘들면 문을 닫는 식의 불규칙한 영업을 해왔다고 하니 임차인과의 궁합도 절대로 소홀히 할 수 없는 부분이다.

이쯤 오면 한 가지 궁금증이 생길 것이다. 당시 비교 대상이었던 B빌딩은 어떻게 됐을까? 처음 건물을 본 2019년에서 2년여의 세월이 지난 아직도 팔리지 않았다. 자칫 흑백논리로 건물의 가치를 평가하게 될까 봐 여기에 한 가지 더 예를 들자면, 오래된 건물에 물이 샌다는 입주자들의 불만이 있지만 바로 앞에 역이 생길 수 있다는 정보가 있는 C빌딩이 있다고 하자. 그렇다면 C빌딩을 선택하는 것도 결코 나쁘지 않은 선택이다.

부동산은 첫 번째도 입지 두 번째도 입지다. 작은 부분을 보느라 큰 숲을 보지 못하면 소탐대실하기 십상이다. 건물의 색깔이나 미세하게 있는 크랙crack은 중요하지 않다는 이야기다. 물론 건물의 신축 여부와 형태나 모양도 임대료를 받는 부분과 개·보수료 부분을 생각한다면 반드시 고려해야 할 부분이지만 입지가 좋고 투자 가치가 매우 높다고 생각하면 부수적인 부분에 너무 집착할 필요는 없다는 말이다. 정말 들어가고 싶은 로열동·로열호수*의 아파트가 나왔는데 벽지 색이 마음에 안 든다? 고작 그런 이유로 기회를 놓치지 마라.

돌다리 두드리기

투자의 적기는 오늘이다

의뢰인들에게 자주 듣는 말 중 다섯 손가락 안에 꼽히는 말이 바로 "진작 빌딩 매입에 관심을 가졌더라면"이다. 좋은 매물은 기간을 장기로 잡지 않고 단시간에 많이 빨리 보고 결정해야 확보할 수 있다. 빌딩 투자는 오늘이 가장 낮은 가격이다.

---

* 같은 아파트 단지 내에서 가장 좋은 입지 조건, 조망권, 일조량 등을 가지고 있는 동과 호수를 말한다. 상대적으로 매매가가 높지만, 아파트를 처분할 때도 높은 가격을 받을 수 있어 인기가 높다.

무에서 유를 만들어내는 힘, 디벨롭

젊은 디자이너 셋은 친구 사이였다. 각기 다른 직장에서 스펙을 쌓고 30대에 모여 함께 독립을 꿈꾸던, 얼핏 보기엔 앞날이 창창한 전문직 여성들이었지만 번 돈을 고스란히 건물주에게 월세로 가져다주고 있었다. 꿈꿔왔던 내일에 조금이라도 더 투자하고자 했던 그들의 계획은 달걀로 바위 치기처럼 점점 더 불가능하게 느껴졌다. 하고 싶은 일, 잘할 수 있는 일에 매진하기에도 부족했지만, 현실의 벽은 높았고 월세는 벗어나려야 벗어날 수 없는 굴레와도 같았다.

빌린이, 디벨로퍼로 성장하다

이래서는 도저히 안 되겠다고 느낀 그들은 각각 종잣돈 3억 원씩을 모아 강남에 위치한 주택을 매입하기로 했다(물론 대출 포함이다). 강남이라는 지역은 직업적인 특성상 트렌드를 빠르게 흡수해야 하는 이들에게 한발 앞서 성장할 수 있는, 한 번쯤 터를 잡고 뿌리내리고 싶은 매력적인 지역이었다.

하지만 이제 겨우 건물에 관심을 가진 일명 '빌린이*'로서는 상상하기 힘든 금액대를 자랑하는 금싸라기 땅 강남에서 그들이 가진 예산을 맞추기란 하늘의 별 따기, 사막에서 바늘 찾기와도 같았다. 강남 구석구석을 살펴 필자와 함께 찾아낸 곳은 지하철 7호선이 있는 역세권 근처로, 좁은 도로를 이용해서만 들어갈 수 있는 자루형 토지(택지가 다른 택지에 둘러싸여 공공 도로에 연접되지 않는 택지)에 위치한 60평 대의 낡은 주택이었다. 교통 입지적인 측면에서 편의성이 떨어지는 탓에 주변 시세보다 저렴하게 나와 평당 약 4천만 원이었다. 이들은 이를 24억 원에 매입했고, 낡은 주택이었기에 추가로 9억 원 정도를 더 투자해서 기존 건물을 허물고 상가 임대가 가능한 건물로 재탄생시키고자 계획을 세웠다.

---

* 빌딩과 어린이의 합성어로 빌딩 투자 초보자를 뜻한다. 주린이(주식 초보자), 등린이(등산 초보자) 등 각 분야 초보자들을 일컫는 신조어다.

이들은 자신들의 디자인 전공을 살려 설계에서부터 건축까지 알뜰살뜰하게 리모델링 과정 하나하나를 직접 해내고자 했다. 업계에서 디벨로퍼developer라면 통상적으로 자연발생적으로 생기지 않는 것을 계획적 · 종합적 사업으로 개발하는 부동산 관련 개발사업자를 말하지만, 본업을 잠시 중단하고 땅 매입부터 기획 · 설계 · 관리 · 감독까지 모든 것을 총괄하며 사옥 짓기에 뛰어든 그녀들은 필자의 눈에 그 어떤 개발업자보다 멋진 진짜 디벨로퍼였다.

직접 건축, 함부로 넘보지 말라

그러나 이상과 현실은 차이가 생기기 마련이다. 방송에도 출연한 유명 인테리어 업자의 소개로 저렴한 견적의 시공사와 계약할 때까지만 해도 좋은 일은 한꺼번에 몰려오는가보다 싶었다. 그런데 공사가 채 마무리되기도 전에 시공사 측은 예상 견적을 훌쩍 넘겨 2배에 달하는 비용을 추가로 청구하더니 타협이 안 되자 적반하장으로 소송을 제기하고 유치권* 행사를 진행하는 것이 아닌

---

* 유가증권이나 건물 등의 물건에 관해 받을 돈이 있는 사람이 돈을 받을 때까지 물건을 점유하고 내주지 않을 수 있는 권리다. 등기부에 기록되지 않기 때문에 부동산의 권리 상태를 꼼꼼하게 파악해야 한다.

가. 내 건물을 내 건물이라 하지 못하고 꼼짝없이 소송이 끝날 때까지 모든 손해를 감수해야 하는 상황이 됐다.

기간 안에 공사를 마무리하고 하던 일을 계획대로 진행해야 하는 이들에게 언제 끝날지도 모르는 장기적인 법적 싸움은 견디기 힘든 일이라는 걸 훤히 알고 있는 듯 시공사의 견딜 수 있으면 견뎌보라는 배 째라는 식의 태도에 이들은 속수무책이었다. 수소문 끝에 법적 자문을 구했지만, 그 시공사는 이미 소송에서 이긴다 한들 받아낼 수 있는 돈이 하나도 없는 부도 직전의 상황이었다. 결국 울며 겨자 먹기로 합의금을 지급한 후 추가 비용을 들여 다른 시공사와 간신히 공사를 마무리했다. 매입 후 신축공사를 시작해서 사용승인을 받기까지 1년 이상이나 소요된 긴 여정이었다.

본격적인 공사에 들어가기 전에 본 설계도는 더할 나위 없이 멋졌다. 매일 공사 현장을 출퇴근하며 관리 · 감독을 하지 않은 것도 아니었다. 하지만 모든 영역과 분야는 아는 만큼 보인다. '디자인이라면 서로 다 통하는 것 아닌가'라는 안일한 생각으로 시작했다가 그야말로 십년감수했다. 그럼에도 그들은 또 한 번 도전해야 한다면 고생했던 만큼 보람과 배움으로 돌려받았기에 기꺼이 그 길로 가겠다고 했다.

시행착오는 문제해결을 위해 어떤 행동을 반복하는 과정에서 발생한 오류를 수정해나감으로써 점차 최적의 방법을 적용하는 것이라고 한다. 즉, 문제를 제대로 해결하기 위해서는 계속해서 시행착오를 겪어야 한다는 것이다. 그들이 겪은 시행착오는 또 있었다. 바로 일조권 사선 제한이다. 일조권 사선 제한은 전용주거지역이나 일반주거지역에서 건축할 때 정북 방향 인접 대지 경계선에서 일정 거리를 띄어서 지어야 하는 것을 말하는데, 건축법상 해당 조항을 만든 이유는 건축물을 짓고자 하는 남쪽 건물에도 일조권, 즉 인접한 지역의 주민이 함께 햇빛을 향유할 수 있는 권리를 보장해주어야 하기 때문이다. 좀 더 자세히 설명하면, 동짓날 기준 9~15시 사이 6시간 중 일조시간이 연속 2시간 이상 확보되거나 8~16시까지 8시간 중 최소 4시간은 확보되어야 한다는 규정이다.

디자이너인 이들은 자신들의 능력을 십분 발휘해 이 문제를 해결했다. 일조권 사선 제한으로 맨 위층은 어쩔 수 없이 비스듬한 모양이 될 수밖에 없어 결국 좁은 형태가 되어야 하는데 5층 내부 자체를 복층 구조로 설계하여 부족한 면적을 채우는 방식으로 건축한 것이다. 해당 건물은 예술적 가치가 빼어난 유려한 디자인 시공으로 인정받아 인근의 낡은 주택들을 연쇄적으로 환골

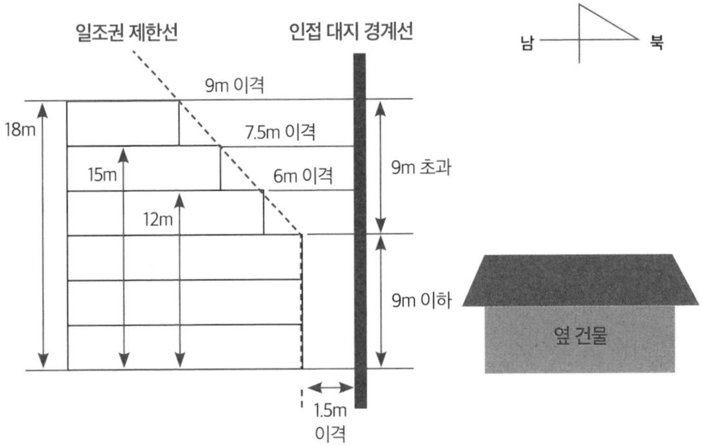

높이 9m 이하의 건물은 인접 대지 경계선으로부터 1.5m 떨어져야 하고, 높이 9m 초과 시 해당 높이의 1/2거리만큼 떨어져야 한다.

탈태시키는 긍정적인 효과까지 낳았다. 이들은 자신들의 건물뿐 아니라 거리 자체의 변화를 유도함으로써 지가 상승의 견인차 역할을 해 1년 만에 건물의 가치를 2배 이상 올렸다. 디자이너들의 사무실과 휴게공간에 외부인들도 이용할 수 있는 1층의 커피숍까지 포함한 사옥의 현재 가치(2021년 기준)는 60억 원 이상으로 책정되고 있다. 이는 신축 기간에 손해 본 금액을 훨씬 상회한 수치다.

돌다리 두드리기

빌딩에 새로운 가치를 부여하라

스마트한 시대에는 누구나 조금만 관심을 갖고 공부하면 '빌린이' 탈출은 생각보다 어렵지 않다. 하지만 '빌린이'에서 '빌딩부자'가 되기까지는 너무 까마득하다고 느낄 수 있다. 그 거리를 줄일 수 있는 방법은 '나만의 가치'를 창출해내는 것이다. 누군가의 눈에는 다 허물어져 가는 낡은 건물이라도 새로운 가치를 어떻게 부여하고, 어떤 과정을 거쳐 재탄생시키는가에 따라 그 빌딩이 창출해낼 수 있는 수익은 무한대로 확장할 수 있다. 경험만큼 큰 자산은 없다.

지출을 수익으로 전환하는 '전략'

의대 졸업 후 페이 닥터부터 시작해 어엿하게 본인 병원까지 개원한 외과 전문의 D씨는 어느 날 청천벽력과도 같은 소식을 들었다. 10여 년간 병원을 운영하며 임차해 있던 건물이 매각을 진행한다는 것이다. 그는 그동안 일궈온 병원을 비워줘야 하는 처지에 놓이고 말았다. 이사도 이사지만 한곳에서 오랫동안 쌓아온 병원 인지도에 미칠 영향을 생각하니 막막했다. 개원 초반에는 순이익이 좀 난다 싶었지만 바로 옆 건물 아래위층으로 동종 외과가 들어서면서 경쟁병원이 하나둘 늘기 시작하더니 손에 쥐는 수입이 월 1천만 원을 찍기도 어려웠다. 월 1천만 원이라고 하면 누군가는 엄살이라고 할 수도 있지만, 병원 운영이란 게 지출도 컸다.

흔히들 의사 정도 되면 대출을 활용한 부동산 투자가 다른 사람들에 비해 수월할 것으로 생각하지만 의외로 대출이 쉽지 않은 직업군이 의사다. 소위 '있는 집 자식'이 아닌 이상 개업 시 고가의 의료장비 대부분을 리스lease로 장만하기 때문에 의사들의 절반 이상은 장기적으로 수억 원대의 대출금에 허덕인다고 해도 과언이 아니다. 그 역시 추가 대출이 가능하다 하더라도 '빚'이라면 지긋지긋 하다며 진저리를 치는 상황이었다. 고소득 엘리트 직종으로 분류됐던 '사자士字' 직업도 옛말이나 다름없었다.

월 임대료나 대출이자나 어차피 매달 빚 메꾸기라 생각한 그는 그래도 매매를 하면 건물은 남는다는 생각에 고민 끝에 임차한 건물을 직접 매입하기로 결심했다. 그런데 건물 매입이 결심한다고 해서 쉽게 이뤄질 리 만무하다. 시작부터 난관이었으니 담당 회계사가 재무제표상 세금을 덜 내는 구조로 조정해놓은 탓에 원하는 금액의 대출이 불가능한 상황이었다. 생각지도 못한 회계 장부부터 재정비를 해야 했다.

임차인에서 건물주로

토지 약 1,700㎡ 500평 정도의 지상 8층 건물로 월 8,500만 원의 임대료를 내며 건물 전체를 임대해서 대형병원을 운영했던 그는 개업부터 터를 잡았던 건물인 만큼 그래도 아는 사이에 조금이라도 가격을 낮춰주지 않을까 싶은 생각에 건물주와 직거래를 시도했지만 어림도 없었다. 약 280억 원을 호가했던 건물의 매매가에서 건물주는 한 치의 타협도 보려 하지 않았다. 병원장은 건물주가 제시하는 매매가를 따를 수밖에 없었다.

결국 그는 건물을 담보로 80%에 가까운 거액을 대출받아야 했다. 대출 비율은 높았지만, 그동안 내던 임대료 8,500만 원 대비 대출이자가 3.2%(224억 원×3.2%=7,168만 원)라 매달 나가는 돈이 1,332만 원(8,500만 원-7,168만 원)이나 줄었다. 게다가 병원 인근에 여러 호재로 인해 건물 가치가 상승할 수 있다는 기대감도 있어 꿩 먹고 알 먹은 선택이었다. 무엇보다 앞으로는 쫓겨날 걱정 없이 진료에만 집중할 수 있게 된 것이 그가 얻은 가장 큰 이득이었다.

돌다리 두드리기

고정 지출을 자본수익으로 전환하라

사업상 필요한 공간에 대한 임대료는 고정 지출이다. 이를 대출이자로 전환해 수익형 부동산을 매입한다면 대출이자는 고정 지출로 상쇄되고 새로운 자본 수익까지 만들어낼 수 있다. 쓰면서도 벌 수 있는 방법을 모색하자!

기초부터 하나씩 쌓아가는 고수의 빌딩 투자 설계도

투자 계획

#내돈내업, 가용 자산 수준을 고려하라

#내돈내산, 내 돈 주고 내가 산 제품

#내돈내업, 내 돈으로 나의 가치를 업그레이드한다.

'내돈내산'을 자랑하는 게 유행이라는 요즘, '내돈내업'을 원하는 이들 중 건물주로 방향을 설정한 사람들이 첫걸음을 내딛기 전에 반드시 거쳐야 할 관문이 있다. 바로 가용 자산 수준 확인이다. 즉, 건물 매입을 위해 쓸 수 있는 내 돈의 규모를 결정하고, 이를 고려해서 투자 계획을 세우는 것이다. 수익형 부동산, 특히 건물주를 꿈꾸는 초보자일수록 수익보다 리스크를 최소화하는 방법부터 터득해야 한다. 돈이 된다는 말에 혹해서 한 방에 올인하는 자세는 지양하고 자신이 감당할 수 있는 선에서 기대수익을 최대로 끌어올리려는 자세가 필요하다.

건물을 매입하는 연령대가 점점 낮아지고 있는 추세이긴 하지만, 빌딩 투자는 주로 은퇴 세대인 경우가 많다. 흔히 모험은 젊은 시기에나 가능하다고 하지 않나. 이는 자칫 넘어지더라도 다시 일어설 수 있는 기회가 많기 때문일 터, 일평생 매진해온 업에서 물러나 가진 자산을 최대한 안전하게 불리는 것이 무엇보다 중요한 은퇴 세대에게는 특히나 한탕을 노리는 몰방 투자(한곳에만 집중 투자)는 두 번, 세 번, 그 위험성을 경고해도 지나치지 않다.

수익률 불패 신화로 일컬어지는 강남의 8층짜리 중소형 빌딩 매각과 관련해 필자에게 고민을 상담한 한 의뢰인의 경우 3개 층이나 1년 이상 공실로 있었다. 그 의뢰인은 건물 매입 시 은행 대출을 끼고 보유재산의 80% 가까이 투자해 막대한 이자로 생활비마저 조달이 안 되는 상황까지 갔다. 생각보다 많은 건물주들이 경험하고 있는 현실이다.

빌딩을 사려는 목적은 무엇인가

빌딩을 소유하려는 목적이 무엇인가는 자금 운용계획을 짜는 데 있어서 방향을 잡아주는 구심점이 되는 가치관이다. 여기서는 저금리 시대에 더 이상 은행에 수익을 기대하기 힘든 여유 자금을 활용해 월세를 불려 나가겠다는 중장기 투자, 지가 상승·부동산 가격 상승을 통해 시세차익을 노리는 단기 투자, 그리고 그사이에 매월 건물에 지급하는 임대료 지출을 줄이고자 직접 매입에 나서 입주 후 임대수익을 함께 노리는 절약형 투자 세 가지로 구분하겠다.

세 유형 모두 수익 창출을 목표로 한다는 공통점을 갖지만, 자금 운용계획은 투자 목적에 따라 달라야 한다. 단기 차익을 원한다면 일시적으로 저평가된 물건을 찾아 단기간에 가치를 상승시켜 매각하는 방법을 모색해야 할 것이며, 중장기 관점에서의 투자라고 한다면 전반적인 경기 흐름 및 지역적인 호재 등을 조사하여 잠재되어 있는 미래가치에 투자할 수 있는 거시적인 안목이 필요하다. 게다가 100% 자기자본이 아닌 타인의 자본, 즉 금융권의 자본이 함께 투입될 경우 자칫 이자 납부를 지연하거나 상환 날짜를 지키지 못하게 되면 건물을 헐값에 넘겨야 하는 위기 상황과 마주할 수 있으므로 수익이 발생하기까지 지불해야 하는 이자에 대한 계산과 이런 상황에 대한 대비도 염두에 두어야 할 부분이다.

뿌리부터 단단하게, 로드맵 짜기

뿌리가 단단해야 큰 나무가 되는 것처럼 '건물 매입 전 → 건물 보유 시 → 건물 매각'에 이르기까지 전 과정의 로드맵을 그려보는 게 좋다. 건물 매입 전에는 가용 자산을 얼마로 정하고 어떻게 활용할 것인가가 가장 중요한 사항이다. 여유 자금이 충분해서 가지고 있는 현금만으로도 가능한지, 아니면 은행 대출이 필요한지, 그럴 경우 대출은 신용 대출인지, 담보 대출인지, 그리고 세금은 어떤 종류의 세금을 얼마나 납부해야 하는지 사전에 꼭 체크해야 한다. 부동산은 매매금액이 큰 만큼 세금의 규모도 상당하다. 그래서 세금도 투자 원가에 포함해서 자본수익을 계산하는 게 좋다. 세금을 감안하고도 자본수익이 보이면 투자해도 무방하다고 볼 수 있다.

건물을 매입하고 난 후 얻을 수 있는 수익률도 계산해야 한다. 지가 상승에 따른 건물의 시세차익을 노리는 단기 투자라 하더라도 기본적으로 부동산은 장기 투자의 속성을 띠고 있다. 생각보다 건물이 빨리 팔리지 않을 수도 있고, 명확한 기준이 없으면 투자 기간은 무한히 길어질 수 있다. 또한 자본적 지출의 가능성도 빠뜨리지 말아야 한다. 보통 빌딩 투자 비용을 고려할 때 수익성만 따져보고 빌딩을 매입한 후 원상회복, 가치증가, 가용연수를 늘리기 위해 들어가는 비용은 놓치는 경우가 많다. 수익형 부동산을 취득한 후 필수 불가결한 지출항목인 만큼 대략적으로라도 포함해야 로드맵이 한층 더 견고해질 수 있다.

부동산은 매입 금액에 연연하기보다 미래가치를 내다보고 투자하는 것이 바람직하다. 차량의 경우 매입 후 아무리 새것처럼 관리한다고 해도 처분할 때는 감가상각이 생기기 마련이지만, 부동산은 약간만 수리해서 처분해도 자본수익이 생길 수 있다. '나는 쉽게 사고팔 수 있는 속칭 투기꾼은 아니니까 매각에 관한 부분은 그때 가서 생각하겠다'는 것은 매우 안일한 생각이다. 제때 사고 제때 팔지 못하면 부동산은 오히려 짐이 될 수 있다. 부동산은 환금성에 취약한 만큼 때를 놓치면 원하는 가격에 팔기 어려워진다.

반대로 가격이 더 상승할 것이라는 기대감으로 수익에 과도한 욕심을 부리면 역으로 손해를 볼 수도 있으니 평생 가지고 갈 건물이 아니라면 매입 시 매각 시점을 미리 염두에 두는 것이 필요하다. 매각 시점에 대한 기준은 기대수익률만 실현됐을 때, 다른 좋은 투자처를 발견했을 때, 시세가 올라 임대 재계약 시점에서 투자금을 일부 회수했을 때 등 사람마다 천차만별이지만 추후 변할 수 있어도 '사야 할 때와 팔아야 할 때는 언제인가'를 미리 정해 놓으면 자산을 불려가는 데 있어 최악의 경우 길은 잃지 않게 든든한 나침반이 되어줄 것이다.

빌딩 투자 계획서 예시

자금 계획	건물 매입을 위한 예상 기간
	총 필요 금액
	현재 가용 금액
	현재 수입
	월 저축 가능 금액
	매입 시까지 저축으로 조달 가능 금액
	대출 가능 금액
	보유자산 처분으로 만들 수 있는 추가자금
	기타 조달 가능한 자금
지역 선정 및 투자 계획	빌딩중개전문가 콘택트
	투자의 방향(용도 결정)
	지역과 입지 선정
	현장답사(임장)
	담보 대출 가능 한도 확인과 금액 결정
	확인 서류 등기사항전부증명서 □ 건축물대장 □ 토지이용계획확인원 □ 토지대장(임야대장) □ 지적도(임야도) □ 개별공시지가확인원 □
계약 전	부동산 명의 결정 개인 □ 가족 □ 공동 □ 법인 □
	자금(계약금, 중도금, 잔금) 스케줄 확인
	계약 시 납부하는 부가세 확인(포괄양도양수계약서 작성 시 제외)
	재산세 부과 날짜 확인
	취득 시 발생하는 부대비용 확인(취득세, 중개수수료, 법무사수수료 등)
	임대료 미납 여부 확인

잔금 납입 전 (입주 전)	임대사업자 등록(계약서, 영수증)
	금융기관 대출 승인
	임대차승계확인서 작성
	임차인 면담
	잔금정산서 작성
	건물 관련 서류 수령 외주관리계약서 □ 시건(문잠금)장치 □ 도면 □
매입 후	관리는 어떻게 할 것인가? 직접 □ 위탁 □
	시설/임대/재무 관리 계획
	리모델링/신축 여부 결정과 업자 선정
	예상 매각 시기 결정

돌다리 두드리기

건물을 살 때부터 팔 계획을 설계하라

가장 좋은 건물을 사는 것도 중요하지만, 언제든 건물을 매각할 수도 있다는 것도 생각해야 한다. 세금이나 자산 유동화 혹은 개인 사정 등 예상치 못한 일들은 누구에게나 온다. 그러므로 매각 가능성을 항상 염두에 두고 시장에서 수요자들이 원하는 매물이 어떤 것인지 사는 시점에 미리 팔 때를 계획하고 설계하는 출구전략exit plan에 대한 학습이 필요하다. 빌딩자산운용사의 출구전략은 보통 5년 주기다.

용도 설정

어떤 빌딩을 원하는가

가용 자산에 대한 대략적인 토대가 마련되면 빌딩의 용도를 정하는 것이 순서다. '세'를 통해 지속적으로 수익을 창출해낼 수 있는 건물인 수익형 부동산의 용도는 건물주 중심의 용도와 건물을 이용하는 이용자 중심의 용도로 크게 두 가지로 나눌 수 있다. 건물주 중심의 용도는 매입 전 방향성을 의미한다. 이는 장기적인 임대수익이나 지가 상승을 통한 시세차익을 염두에 둔 단순매입, 있는 건물을 허물고 신축을 고려하는 신축용 매입, 있는 건물에 리터칭을 더하는 리모델링용 매입, 건물주가 직접 사옥으로 활용하는 사옥용 매입으로 구분할 수 있다.

앞서 이 책에서 정의한 빌딩은 임대를 통해 지속적으로 수익을 창출해내는 '세'를 불릴 수 있는 건물로, 이용자 중심의 용도다. 그러므로 여기서는 이용자 중심으로 빌딩의 용도를 구분하겠다. 이는 크게 주거용, 상가용, 업무용, 숙박용으로 나뉘고, 투자 가치로 볼 때 각각의 장단점이 있다.

주거용 빌딩

주거용 빌딩은 아파트를 제외하고 주거시설을 이용해서 임대수익을 창출해낼 수 있는 대표적인 부동산으로 소액투자로도 수익을 창출할 수 있다. 흔히 알고 있는 오피스텔, 도시형생활주택, 다가구주택, 다세대주택, 상가주택, 셰어하우스, 부분임대아파트, 소형아파트, 고시원 등이 여기에 속한다.

각각의 건물별로 들여다보면 장단점이 존재하지만, 기본적으로 주거시설은 입지가 아주 나쁘지만 않다면 임대 수요가 존재해 리스크가 적은 편이다. 특히 300세대 미만의 국민주택 규모에 해당하는 도시형생활주택의 경우 1인 가구 증가 추세로 수요가 계속될 것으로 보인다. 물론 주거용 빌딩은 도시형생활주택이 아니더라도 역세권 등 교통이 편리한 곳이라면 수요가 높다.

단점은 소형아파트, 오피스텔, 주택 등 주거용 빌딩은 공급량이 많아 되팔기가 녹록지 않고 시간이 지날수록 감가상각이 높아져 상권에 대한 냉철한 분석과 지가 상승에 대한 전망을 필히 고려해야 한다는 것이다. 덧붙여서 주거용 빌딩은 대출 방식이 원금상환 방식이다. 이 때문에 앞으로 납입하게 될 이자와 원금 상환까지 고려하는 투자 계획이 필요하다.

상가용 빌딩

대표적인 상업지역을 뜻하는 중심상가, 주거지역 인근에 입지하며 주민의 생활 편익을 제공하는 상점이 몰려 있는 근린상가, 주상복합상가, 단지 내 상가, 그리고 특정 업종 등이 모여 있는 테마상가, 역세권 상가 등이 상가용 빌딩이다.

이들은 충분한 가용 자산으로 지가 상승에 따른 시세차익을 노릴 경우 더할 나위가 없다. 인기 지역일수록 환금성이 높아 원하는 타이밍에 매도가 가능하다는 점도 인기 요인 중 하나다. 임대가격이 높은 상가를 선택하는 것이 매매가에 직접적인 영향을 주기 때문에 상가용 빌딩을 물색할 때는 임대차계약의 월세가 어느 정도에 형성되어 있는지 꼼꼼하게 알아보는 것이 중요하다.

반면 누구나 예상할 수 있듯이 좋아 보이는 번화가의 목은 입지와 규모에 따라 구매자의 가용 자산 수준을 훌쩍 뛰어넘기 마련이다. 그렇다 보니 은행 대출이며, 개인 대출까지 소위 말해 영혼까지 끌어모으는 식의 위험한 투자를 하는 경우가 종종 있다. 하지만 세입자가 없으면 임대수익을 낼 수 없어 대출이자 갚기에 허덕이다 낭패를 보기 십상이다. 상가용 빌딩에 공실은 치명적이다. 해당 입지의 유동인구나 주변 환경 등에 대해 면밀하고 신중한 검토를 통해 공실을 줄일 수 있는 방안이 있어야 한다.

업무용 빌딩

거주용 목적이 아닌 업무용 오피스텔, 오피스빌딩, 지식산업센터, 오피스공장, 소형빌딩, 물류창고와 유사한 개념으로 특정 공간을 셰어해서 사용하는 공유오피스를 말한다. 대부분 업무 용도로 사용되기 때문에 입주자들의 건물 이용 시간이 짧아 건물 관리가 편하다는 장점이 있다. 일반적으로 기업고객이 대상이라 임차인이 잘되어서 사업을 확장하거나 반대로 어려워져서 규모를 줄이기 위해 이전하는 경우를 제외하면 비교적 임대 시기가 장기적이다. 재계약 기간도 최대 5년으로 중개수수료 등 중도 투입 비용이 생길 여지가 적다. 특히 아파트형 공장의 진화 형태라고 볼 수 있는 지식산업센터의 경우 취득세 감면을 비롯한 각종 세제 혜택을 누릴 수 있고, 여타의 부동산 규제로부터 비교적 자유롭다는 이점이 있다.

다만, 입주자와 이용객 대부분이 근로자인 경우가 많아 출퇴근이 쉬운 대중교통 및 도로교통의 입지 조건 여부가 빌딩의 수익률에 절대적인 영향을 미친다. 잘되면 높은 수익을 기대할 수 있지만, 못되면 잘못된 분양 시기의 선택, 실패한 입지 선택 등으로 낭패를 볼 우려 또한 크다. 입지 여건, 배후수요, 주변 인프라 등 여러 요건을 취합해서 살펴보는 안목이 필요하다.

숙박용 빌딩

호텔, 모텔, 레지던스, 펜션, 리조트, 게스트하우스 등 주거의 개념으로 머무르는 곳이 아닌 단기적인 숙박을 위한 건물을 의미한다. 임대를 하고 세를 얻는 임대수익을 목적으로 하기보다는 사업적인 수익, 시설에 대한 이용 요금, 서비스로 수익을 내는 곳으로 사업자 등록과 영업허가가 필요하다는 특이점이 있다.

무전 투숙객을 만나지 않는 한 입주자로부터 합당한 이용요금을 받지 못하는 경우가 드물고, 주변 지역이 투숙객이 원할 만한 상권인지, 인접해 있는 관광지는 있는지 등을 고려해 입지 조건을 선택하면 괜찮은 수익을 기대해볼 수 있다. 하지만 코로나19로 공실률이 가장 많이 늘어난 수익형 부동산으로 시장 상황

빌딩 용도별 장단점

	주거용	상가용	업무용	숙박용
장점	소액투자 가능, 입지가 아주 나쁘지만 않으면 상대적으로 리스크 적은 편	지가 상승에 의한 큰 폭의 시세차익 기대 가능, 환금성 높은 편	입주자들의 건물 이용 시간이 짧아 관리가 용이한 편, 비교적 임대 시기가 장기적인 편	이용 요금을 못 받는 경우는 드문 편으로 입지만 좋으면 안정적임
단점	공급량이 많아 원할 때 되팔기 쉽지 않음, 감가상각 높은 편	공실 관리 리스크가 큰 편	출퇴근에 따른 교통상황이 관건	코로나19에 가장 큰 타격을 받음, 사업자 등록과 영업허가 등 필요한 추가 절차가 있음
주시점	1인 가구 증가 추세로 300세대 미만 도시형생활주택 인기 상승, 대출의 경우 원금상환 방식이 좋음	임대가가 곧 매매가와 직결되므로 임대차계약 시 월세가 어느 정도 형성되어 있는지 파악하는 게 중요	지식산업센터의 경우 각종 세제 혜택을 누릴 수 있고 여타의 부동산 규제로부터 자유로운 편	주거용으로 불법 전용되던 생활형숙박시설 문제를 해결하고자 향후 2년 동안 생활숙박시설을 주거용 오피스텔로 용도변경할 수 있도록 한시적으로 건축 기준이 완화됨

이나 경기景氣, 시즌, 날씨 등의 영향을 크게 받아 수익률 등락 폭이 여타의 부동산에 비해 크다. 또한 개인사업자 등록, 영업허가 등 여타의 빌딩과는 달리 사전에 준비해서 처리해야 하는 것들이 많으니 이를 모두 염두에 둔 투자 계획이 필요하다.

그렇다고 해서 리스크에 대한 대안이 전무한 것은 아니다. 취사시설을 갖춘 객실은 준주거 형태의 객실로 변형해서 생활숙박업으로 전환이 가능하다. 쉽게 말해 객실별로 구분 등기가 가능하므로 위기 상황에서의 플랜B로 객실 단위의 소유주를 계획해보거나 임차인까지 숙박업 운영이 가능하다는 점을 고려해볼 수 있다. 최근 주택 미포함, 대출 규제 미적용, 청약통장 불필요, 전매 무제한, 종합부동산세 미포함, 중도금 무이자 등과 같은 투자 포인트를 앞세워 분양 홍보에 열을 올리는 레지던스가 이에 해당한다.

돌다리 두드리기

그래프가 보여주는 성장세의 함정을 조심하라

코로나19의 위기에도 수익형 부동산이 꾸준한 성장 곡선을 보이는 이유는 매월 규칙적으로 들어오는 임대수익보다 지가 상승에 따른 시세차익을 기대하는 빌딩부자들의 유입이 큰 폭으로 늘어났기 때문이다.

자금 조달

'갓물주'의 크레딧, 레버리지 활용법

"얼마면 돼?" 소리가 절로 나오는 건 당연한 수순이다. 이제는 표현마저 진부해져 버린 조물주 아래 갓god물주, 점점 나만 빼고 다 빌딩 한 채씩은 가진 것만 같은 건물주는 그래서 도대체 얼마나 있어야 마음이라도 먹어 볼 수 있는 것일까?

서울이나 수도권의 핵심 지역을 벗어날수록, 지방에서도 중심가에서 인적이 드문 곳으로 갈수록 금액은 점점 낮아지겠지만 보편적으로 모두가 꿈꾸는 수익성, 안전성, 환금성이 좋은 곳을 목표로 할 때 부동산 업계에서는 '최소' 현금 10억 원을 기준점으로 삼는다. 여기서 '최소'란 레버리지leverage를 일으키기 위해 필요한 최소금액을 의미한다. 최소 현금 10억 원은 있어야 세금 및 부대비용을 포함해서 개인은 20억 원대, 법인은 30~40억 원대 서울과 수도권 인근에 있는 근린생활시설 건물에 입성할 수 있다.

부를 만들어주는 빚, 레버리지 효과

지렛대 원리를 의미하는 레버리지는 투자 시 타인의 자본을 지렛대처럼 이용함으로써 자기자본을 적게 들여 수익을 극대화하는 것을 말한다. 부자들의 자금 운용계획에 뒤따르는 '빚도 능력'이라는 수식어도 여기에서 비롯된다.

1억 원을 가진 두 사람이 있다고 가정하자. A는 금리 2%의 은행 적금에 들었고, B는 상가나 오피스텔 등의 수익형 부동산에 투자해서 매달 월세 50만 원을 받는다. 이를 계산하면 A는 1년에 2% 예금 금리로 200만 원의 이자를 받고, B는 50만 원×12개월=600만 원의 월세를 받는다. 이보다 더 중요한 건 5년 후 현금 1억 원은 물가상승률로 인해 현재에 비해 현금 가치가 떨어지지만, 부동산 가치는 오를 확률이 더 높다는 것이다.

그렇다면 여기에 대출로 레버리지를 일으키면 어떻게 될까? 2021년 5월부터 분양가 보증금 1억 원짜리 오피스텔의 경우 서울 삼성·대치·청담·압구정·잠실 등 토지거래허가구역은 담보

인정비율LTV, Loan to Value Ratio 40%, 그 외 지역은 70%까지 가능하다. 담보 대출은 60%, 대출 금리는 3%로 잡고, 임대 보증금을 1천만 원이라 한다면, 실투자금 3천만 원으로 월세 50만 원을 꼬박꼬박 받을 수 있는 1억 원짜리 오피스텔 한 채의 주인이 될 수 있다. 여기서 이자는 연 3%로 1년에 180만 원, 이를 한 달씩 계산하면 월 15만 원이 된다.

1억 원-6천만 원(대출)-1천만 원(임대보증금)=3천만 원
(실투자금)

즉, 현금 1억 원으로 레버리지를 일으키면 1억 원짜리 오피스텔 세 채(3천만 원×3채)를 살 수 있다. 그렇다면 대출을 끼고 얻은 오피스텔 세 채로 얻을 수 있는 수익률은 얼마일까?

월세 150만 원-45만 원(한 달 이자 15만 원×3채)=105만 원

같은 1억 원을 가지고 어떤 사람은 월세 50만 원을 받을 수 있고, 어떤 사람은 월 100만 원 이상을 벌 수 있는 것, 이것이 바로 레버리지 효과다. 여기에 플러스알파로 시세차익의 효과를 볼 수 있다면 수익은 3배가 될 수도 있다. 단, 수익이 발생하면 단순 자기자본만 투자했을 때보다 더 큰 효과를 볼 수 있지만, 반대로 공실 등

으로 임대수익을 얻지 못해 빌딩푸어building poor*로 전락하는 등 더 큰 손해를 볼 수 있기 때문에 레버리지 효과는 양날의 검이다. 과도한 레버리지는 독이 될 수도 있다는 것을 명심하자.

대출도 능력이다

코로나19에도 빌딩 거래는 늘고 있다는 업계의 각종 조사 결과가 반증하듯 정부 정책에 따라 초고가 주택 시장의 규제로 주택담보대출도 녹록지 않고, 고소득층의 신용 대출마저 어려워졌다. 이에 따라 매년 1월이면 주요 빌딩의 대출 한도 및 조건을 파악하며 한 해 시장을 준비하는 은행도 경쟁이 치열해지고 있다는 풍문이다.

통상적으로 건물 매입을 위한 대부분의 대출 방식은 매입하고자 하는 건물을 담보로 하는 담보 대출이다. 감정가를 기준으로 담보운용비율을 계산하여 심사한다. 감정은 매매사례비교법이나 원가법 등 다양한 방법으로 하게 되는데 이렇게 나온 감정가에 담보의 운영가능비율을 곱하고 거기서 대출해주는 사람, 즉

---

* 자신의 경제력에 비해 무리하게 물건을 구입했다가 경제적으로 궁핍한 생활을 해야 하는 사람들을 일컫는 말로 하우스푸어(집), 카푸어(차) 등이 있다.

건물주보다 우선해서 배당받아 가는 선순위채권**을 차감하는 식으로 대출 가능 금액을 산정한다.

부동산을 담보로 잡는 이유는 대출금을 상환받지 못하면 채권자가 해당 부동산을 경매에 넘겨서 자기 채권에 우선 변제를 받기 위해서다. 대체로 감정가액은 매매가보다 낮은 경우가 많으며, 은행권에서는 매입예정금액과 감정평가금액 중 가장 낮게 나온 것을 채택하여 70~80%로 대출 한도를 결정하고 신용정보에 따라 금리를 결정한다.

담보 대출에 비해 금리는 높지만, 개인이나 법인의 신용도를 기준으로 받을 수 있는 신용 대출도 있다. 신용 대출은 매수자의 신용도에 대한 종합적인 평가를 기반으로 하는데 개인의 경우 소득 증빙 자료, 법인의 경우 재무제표의 상태가 좋을수록 유리하다.

연예인과 같은 유명인들의 빌딩 투자 방식을 보면 법인을 따로 설립해서 투자하는 경우가 많다. 등기부 등본에 개인의 이름을 명시하지 않아 사생활을 보호할 수 있고, 양도세, 종합부동산세를 아낄 수 있어 절세에 용이하다. 무엇보다 법인의 대출 한도가 비교적 높고 개인 신용 대출보다 금리가 낮다.

** 담보 물건에 대해 다른 채권보다 우선하여 회수할 수 있는 채권으로 등기부 등본에서 확인할 수 있다. 일반적으로 건물을 담보로 해서 받은 대출인 근저당권이 선순위가 된다.

돌다리 두드리기

레버리지는 최소의 일을 최대의 결과로 역전시킬 수 있다

영국에서 가장 빠르게 성공한 30대 초반의 백만장자 롭 무어Rob Moore는 '당신의 시간을 가장 크고 지속적인 부를 창조하는 데 사용하고, 시간 낭비를 근절하는 시스템'이라고 레버리지의 가치를 평가했다. 부동산 투자에 있어서 시간을 기회비용으로 더한다면 짧은 시간에 보다 크고 많은 일을 처리할 수 있게 되는 만큼 레버리지라는 빛의 긍정적인 측면을 활용해 시간을 단축한 자와 장기적으로 고스란히 시간과 노력을 투자해야 하는 자의 수익률 격차는 벌어질 수밖에 없다.

위치 선정

'빌린이'에서 '불린이'로 이끄는 명당의 기준

자금 조달계획과 빌딩의 용도를 결정하고 나면 위치 선정을 해야 한다. 부동산에서 위치 선정은 수백 수천 번 이야기해도 지나치지 않을 만큼 중요하다. 특히 수익형 부동산으로 정의한 빌딩은 높은 수익률에 욕심을 부리기보다는 환금성, 즉 원하는 순간에 얼마나 빠르게 손해 없이 현금화할 수 있는지를 항상 염두에 두어야 한다. '벌지는 못해도 최소 손해는 보지 말자'가 마지노선이라고 생각해야 한다. 이를 위해서는 수요가 끊이지 않는 지역이 좋다. 기본적으로 수요가 많은 곳은 투자 안전성이 높다. 시장의 흐름을 짚어내는 시야의 확장은 위치 선정의 기본 중의 기본이다. 그렇다면 소위 말하는 그 '명당明堂'이란 어떻게 찾아내는 것일까?

정부와 지자체 정보에 눈이 밝아야 한다

첫 번째로는 개발의 흐름이다. 부동산 투자에 관심을 갖기 시작하면 정부의 개발 이슈 지역부터 살펴보는 것, 아마도 대부분의 사람들이 가장 먼저 행하는 정보 수집의 단계가 아닐까 싶다. 정부의 대형 공공 투자 사업을 비롯해 재개발 계획, 대규모 개발 호재를 갖춘 지역은 인구 유입, 집값 상승, 상권 활성화, 인프라 형성, 지역 가치 상승 등 긍정적인 효과를 동반한다. 이런 지역은 쇼핑이나 문화, 여가 등을 누릴 수 있는 편의시설이 대거 늘어나 지역 내 핫 플레이스로 자리매김하는 등 개발 호재에 따라 투자 및 임대 수요가 증가하면서 안정적인 수익과 향후 미래가치까지 기대할 수 있다.

근래에 대표적인 예로 성수동을 꼽을 수 있다. 2014년 발표한 서울도시기본계획에 따라 일반주거지역에서 지을 수 있는 아파트의 최고층은 35층이다. 특히 한강 변 건물과 재건축 단지에서의 층수 제한은 엄격하게 규제되고 있는데 일명 '숲세권*'으로

---

* 집과 인접한 녹지 공간은 시간이 지날수록 수익 창출과 직결되는 부분이 커서 중요도가 점

출처: 대림산업

지하철 2호선 뚝섬역과 서울숲 가까이에 위치한 성수동의 아크로서울포레스트는 인근 갤러리아포레와 트리마제와 더불어 서울숲 일대 초고가 단지로 자리매김했다.

불리는 서울숲과 한강을 끼고 있음에도 불구하고 40층대 최고급 아파트와 주상복합들이 잇따라 건설되고 있는 곳이다. 2008년 3.3㎡(1평)당 평균 4,535만 원으로 당시 역대 최고의 분양가를 찍은 서울숲 갤러리아포레에 이어 2017년 입주 당시 한류스타들이 대거 입주해 일명 한류스타 아파트로 일컬어지는 트리마제(2014년 공급 당시 분양가 3.3㎡당 3,200~4,800만 원 선), 그리고 2021년 초 입주를 시작한 아크로서울포레스트(3.3㎡당 분양가 4,750만 원으로

점 더 높아지는 추세다. 이 때문에 '역세권에 버금가는 세력의 입지'를 뜻하는 숲과 역세권을 합친 숲세권이라는 말도 생겨났다.

2017년 당시 서울 최고 분양가를 경신)까지 성수동은 국내 최고의 분양가 기록을 계속 갈아치우고 있다.

2009년 오세훈 서울시장의 재임 시절 당시 한강 르네상스 프로젝트 사업지로 지정된 한강 변 전략정비구역 5곳(성수, 합정, 여의도, 이촌, 압구정)과 5곳의 유도정비구역(망원, 반포, 잠실, 자양, 당산) 중 유일하게 살아남은 곳이 성수동이다. 후임 고 박원순 서울시장의 임기 때 각종 재개발 사업이 배턴을 이어받지 못하고 제동이 걸렸으나, 2021년 오세훈 시장의 재취임으로 4개 지구의 성수전략정비구역이 전부 건축심의 절차에 들어서며 다시금 사업에 속도를 내고 있다. 오 시장은 취임 후 빠르게 성수전략정비구역을 토지거래허가구역으로 지정해 곧 35층 규제 완화를 통해 한강 변 50층 개발에 박차를 가하게 될 것이라는 게 업계의 전망이다.

하지만 상가건물의 경우 이런 호재에 부푼 기대를 안고 성큼 발을 디뎠다가는 큰코다치기 십상이다. 지금까지의 전례를 살펴보면 대부분의 신도시 신규 상권들은 초창기 공실로 심한 몸살을 앓았다. 신도시 상권이 안정기에 접어들기까지 걸린 기간은 기본 3~5년으로 그나마도 자리를 잡았을 경우다. 분양 후 3년이 지나도 공실 해소의 어려움을 겪어 상권 전체가 잠식되는 장기침체에 접어드는 경우도 허다하다.

두 번째는 역세권, 즉 교통의 흐름이다. 전철, 철도, 고속도로, 대교 개통 등 길이 뚫리는 교통개발은 시세 상승에 가장 큰 영향을 미치는 호재로 계획 발표 시점부터 개통 때까지 인근 부동산 가격은 꾸준히 상승해왔다. 하지만 교통 호재 수혜지역을 염두에 둔다면 그 시기에 있어서 착공에 들어간 후를 추천하고 싶다. 착공 전에는 사업이 연기되거나 중단되는 경우가 많기 때문이다. 정부에서 진행하는 교통개발사업의 경우 계획발표 → 착공 → 개통 3단계에 걸쳐서 부동산 가격이 오르는 3승 법칙이 적용된다. 상승률은 계획발표 단계에 가장 높지만 그만큼 리스크가 크다는 단점이 있다.

결국 부동산 시장은 의도했건 아니건 정부 정책에 따라 좌지우지되는 경우가 많다. 그러니 부동산 시장과 밀접한 관계를 가지는 정책에 항상 민감할 필요가 있다. 정부 정책에 민감해진다는 것은 한 마디 한 마디에 즉각적으로 대응하고 행동에 나서라는 의미는 아니다. 정보는 누구보다 빠르게 캐치하되 그 정책이 시장에 미치는 영향들을 읽어내는 안목에 깊이를 더하면, 감정적인 투자에서 한 발짝 물러나 보다 객관적이고 예리해진 시선으로 쉽게 흔들리거나 휘청거리지 않는 투자 근육을 키울 수 있다.

'목' 좋은 곳의 3요소

새롭게 흐름이 트이는 곳보다 이미 트여 있는 곳, 예를 들어 누구나 들으면 알 만한 압구정동 로데오 거리, 신사동 가로수길, 이태원 경리단길, 마포구 연트럴파크 등 속칭 핫 플레이스로 거론되며 유행처럼 회자되는 무슨 무슨 길, 무슨 무슨 거리 등은 '혹시나', '만약에', '어쩌면'과 같은 불안의 리스크를 줄이고 이미 검증된 지역이라는 안도감을 줄 수 있다. 하지만 알다시피 이런 곳은 건물에 특별한 하자가 있지 않은 이상 가격이 높다는 건 공식과도 같은 일이다.

입지에서 공식처럼 여겨지는 3요소를 제안하면 첫째, 비슷한 입지라면 작은 상권보다 큰 상권을 선택하라. 2개의 크고 작은 상권이 거리상 비슷한 곳에 위치할 때 이용객들의 발걸음이 작은 상권보다는 큰 상권으로 옮겨가기 쉬운 건 당연한 수순이다.

둘째, 배후수요가 얼마나 탄탄한가를 보라. 배후가 탄탄하면 소비 가능한 구매력이 많아지고 상가가 점유할 수 있는 소비지출액이 높아진다. 배후란 곧 유동인구를 말하며 아파트 단지 안의 경우 아파트 가구 수가 얼마나 되는지, 오피스빌딩 입지에서는 인근 오피스의 상주 인원이 얼마나 되는지, 평일과 주말의 인구 밀집 편차는 얼마나 큰지, 교외형 입지에서는 근처를 통행하는 차량이 얼마나 되는지 등이 배후수요를 가늠할 수 있는 척도가 된다.

세 번째로 접근성이다. 배후가 아무리 탄탄해도 접근성이 좋지 않으면 빛 좋은 개살구다. 지하철역, 버스정류장 등 대중

교통 시설과 인접한 곳일수록 접근성이 좋은 편이며, 이곳에서 100m 이내에 위치한 상가들은 사람들이 몰리는 기본적인 요건을 갖추고 있다. 지하철은 환승역, 버스정류장은 종점이나 아파트 단지 앞이 독점력을 가질 수 있으므로 이런 곳이 좋은 입지라고 할 수 있다.

그 외에 입지 형태도 고-평-저지대에 따라 눈여겨볼 필요가 있다. 오르막길, 내리막길보다 평지에 있는 상가가 집객력(손님을 끌어모으는 능력)이 좋다는 건 다 알 것이다. 예컨대 언덕 중간에 사는 사람이 언덕 위와 아래에 동일한 상권이 있으면 언덕 아래쪽 상권을 이용할 가능성이 훨씬 높으니 저지대에 평탄한 곳일수록 좋은 입지라고 할 수 있다.

내 다리의 흐름을 믿어라

사실 정부 정책에 따라 큰 개발 호재를 품고 있는 곳이든, 공식처럼 여겨지는 '목' 좋은 상권이든 결국에는 내 선택이기 때문에 내 다리의 흐름이 어디로 향하는지가 가장 중요하다. 그런 점에서 속칭 '빌딩부자'라 불리는 고수들은 첫 투자 지역으로 자신이 늘 다니면서 가장 잘 알고 있는 지역을 추천한다.

매일 부동산에 출근 도장을 찍던 A씨가 있었다. 적은 돈으로 건물 매입을 원했던 그는 정보를 얻으려면 부동산에 아침에도 가고 저녁에도 가고 비가 오나 눈이 오나 가야 한다는 말에 소위 아직 뜨지 않았지만 뜰 가능성이 있는 지역을 수소문해서 근처 부동산을 모조리 다녔다. 문제는 그렇게 매일 부동산을 다니며 건물을 보다 보니 오히려 결정은 더 어려워졌고 더 좋은 매물이 나올 것 같다는 생각에 쉽게 결정할 수가 없었다. 그런데 그렇게 신중하게 부동산을 보러 다녔던 그가 결국 매입을 결정한 곳은 다름 아닌 그의 직장 근처였다. 그는 우연히 직장 주변 건물에 대한 정보를 듣고 오래 고민하거나 살펴볼 것도 없이 매입을 결정했다. A씨가 매입한 직장 근처 건물은 그동안 염두에 두고 살펴보던 건물들에 비해 목이 더 좋다거나 외관이 더 나아 보이지 않았다. 그럼에도 그는 이 건물이 공실 없이 운영되고 있는 이력을 잘 알고 있었고, 출퇴근할 때나 점심시간, 쉬는 시간 등에 오가면서 본인뿐 아니라 많은 사람들이 잘 모이는 곳이었다. 게다가 직장 근처다 보니 직장생활을 하면서 건물 관리까지 병행할 수 있어 좋았다.

업계에서는 투자 물건과 사랑에 빠지지 말라는 말이 있다. 쉽게 말하면 한 물건을 오래 보는 것, 한 지역에서 너무 많이 보는 것을 삼가라는 것이다. 한 물건을 오래 보다 보면 건물이 가진 가치 대비 100이면 100을 다 만족시킬 수가 없는데 자꾸 보다 보면 정이 들면서 판단력이 흐려지거나 선택 장애를 겪을 수 있기 때문이다. 초보자의 경우 낯선 지역의 매물을 보고 투자자로서의 '촉'을 발휘하기 어려운 만큼 익숙한 지역부터 시작하는 게 좋다. 내가 아는 만큼 내 다리가 명당을 짚어낼 것이다.

그렇다면 두 다리에 돈맥脈을 짚어내는 탄탄한 근육을 붙여주는 현장답사(전문 용어로는 임장이라고 한다), 즉 발품 팔기의 기술은 어떻게 단련해야 하는 걸까? 손가락 하나로 찾고자 하는 모든 정보를 얻어낼 수 있는 시대를 살고 있지만, 역으로 넘쳐나는 정보 속에서 어떤 길을 따라가야 할지 가중된 혼란으로 결정장애에 빠지거나 그릇된 정보를 따라 때론 가까운 길도 멀리 돌아가게 되는 경우도 있다. 수익형 부동산 중에서 상가형 빌딩의 경우 같은 건물 안 부동산이라도 방향과 층에 따라 10% 이상의 시세 차이가 발생할 수 있어 몸으로 뛰는 현장답사를 소홀히 해서는 안 된다.

현장을 답사하는 데 있어 초-중-고수는 확연히 다른 양상을 보인다. 초보는 일단 겉모습에 치중해 단점을 놓치기 쉽다. 여러 차례의 답사를 통해 장점만 부풀리는 말에 휩쓸리지 않고 비교적 단점이나 주의해야 할 부분을 짚어내며 물건의 현재 가치를 판단하기 시작할 때 비로소 중수의 궤도에 올라섰다고 할 수 있다. 그렇다면 고수와 중수의 차이는 무엇일까? 고수는 현재의 물건을 보고, 미래가치까지 내다본다는 데 있다. 미래가치를 내다볼 수 있는 혜안은 어디에서 왔을까? 대부분의 빌딩부자들은 부지런하

빌딩 현장답사 체크리스트

대분류	소분류	내용	체크			비고
			○	△	×	
입지 여건	유동 인구	지하철역, 버스정류장과 가까운가?				
		유동인구가 많은가?				
		유동인구의 동선이 좋은가?				
		유동인구의 연령대는 어떤가?				
		시간대별 유동인구는 어떤가?				
상권	배후 단지	배후단지의 규모는 어떤가?				
		배후단지의 성격이 사업 종목과 어울리나?				
		배후단지의 경제 수준은 어떤가?				
		통행 차량의 동선은 어떤가?				
건물 외부	접근성	건물 앞 환경은 깨끗한가?				
		대로변에 가까운가?				
		보행이 용이한가?				
	외관	건물의 미관이 괜찮은가?				
		벽에 균열은 없나?				
건물 내부	구조	내부 구조를 파악했나?				
	입구	정문 진입이 용이한가?				
	천장	입구 천장이 높은가?				
	바닥	방수나 누수의 흔적이 있나?				
	내부	중앙에 기둥이 있나?				
		인테리어가 되어 있나?				
		기타 하자는 없나?				

대분류	소분류	내용	체크			비고
			○	△	×	
운용 현황	현황	운영(임대, 영업) 상태가 양호한가?				
		층별 용도 구성을 확인했나?				
		주변에 경쟁 건물이 있나?				
		겸업 금지에 해당되나?				
시설	공용 시설	신축건물인가?				
		엘리베이터가 있나?				
		개별난방인가?				
		주차장이 있나?				
		옥상 활용도가 괜찮은가?				
시세	관리 사무소	권리금				
		관리비				
		미납 관리비				
		공실률				
		관리사무소 연락처				
	부동산	매매가				
		급매가				
		임대가				
		부동산 연락처				
기타						

다. 귀동냥보다 발품을 신뢰한다. 남들보다 한발 앞서서, 남들보다 한발 빠르게, 보고 움직인 결과 얻어낸 자산이다.

답사는 일회성에 그쳐서는 안 된다. 평일, 휴일, 계절 변화 등을 고려해 수차례 이상 방문해 주간 활동 인구와 야간 활동 인구, 중심부 상권에 가장 많이 접근하는 통로, 유동인구의 걸음 속도 등을 주시하며 유동인구의 흐름을 살펴보는 것이 중요하다. 무턱대고 여러 번 방문해 두서없이 살펴보는 것만이 능사는 아니다. 실물을 보는 것에도 순서가 있다. 매물을 보는 데 있어서 효율성을 높이려면 먼저 옥상을 올라가 보는 것이 좋다. 누수의 우려는 없는지, 난간의 높이는 적절한지, 기타 옥상의 활용도와 경관을 체크해보자.

저층 건물의 경우에는 계단으로 내려오며 벽면과 난간의 상태, 조명과 창문의 상태를 꼼꼼하게 확인하고, 고층 건물은 엘리베이터를 타고 내려오며 엘리베이터의 속도나 상태 등을 체크하는 게 좋다. 가능하다면 계단으로도 내려오면서 저층 건물처럼 확인해보는 노력도 필요하다. 1층은 그 건물의 간판이나 다름없으니 임차 업종이 무엇인지, 인테리어가 잘되어 있는지, 주차는 몇 대나 가능한지, 주차하는 데 불편한 부분은 없는지, 주차장의 규모와 상태에 대한 확인도 꼭 하길 바란다. 그리고 건물 외벽 체크도 빠뜨려서는 안 된다. 균열은 없는지, 미관은 어떤지, 방수와 청결 상태 등을 확인해야 매입 후 필요한 부분들을 가늠할 수 있다.

정보화 시대에는 손품도 중요하다

스마트폰 앱으로 집값 산정 · 매매 · 임대 · 대출 · 결제까지 가능한 오늘날은 '프롭테크prop tech'의 시대다. 부동산 중개 플랫폼으로 시작한 프롭테크는 부동산property과 기술technology을 결합한 용어로 빅데이터, 인공지능AI, 가상현실VR, 블록체인 등 첨단기술과 부동산을 결합해 새로운 서비스를 창출하고 있다.

프롭테크는 기존 부동산 시장에서 단점으로 꼽혔던 높은 수수료를 낮추고 복잡한 계약 과정을 간소화하면서 중개업의 패러다임 전환이라는 평가를 받고 있다. 이뿐만 아니라 수익형 부동산의 경우 힘들게 발품 팔지 않아도 관련 정보를 보다 손쉽게 얻을 수 있다. 대표적인 '손품' 정보는 다음 표에 정리한 웹사이트와 앱을 확인해보자. 당신의 에너지와 시간을 보다 단축해줄 것이다.

다만, 대부분의 빌딩 중개 사이트에서는 소위 말하는 알짜 매물은 공개적으로 등록하지는 않는다. 귀한 매물일수록 알음알음으로 거래되기 다반사라 탐이 나는 지역이나 매물이 있다면 꼭 발품을 함께 팔아 해당 부동산이나 지역 유지 등과 친분을 쌓으며 고급 정보를 한발 빠르게 입수하기를 추천한다.

손품 정보

상권정보시스템 https://sg.sbiz.or.kr/godo/index.sg	인구, 직업, 학교, 교통 등 업종별로 상권분석 정보 제공
국토교통부 실거래가 공개시스템 http://rt.molit.go.kr/	아파트, 다가구, 연립, 빌라 실거래가 조회 서비스로 지역별, 금액별, 면적별 통합 조회 안내
밸류맵 https://www.valueupmap.com/	전국 토지, 건물, 빌딩, 공장, 상가 실거래가 조회를 한눈에, 최고의 실거래가 정보 플랫폼으로 건물의 특성상 시세를 특정하기 어려운 것이 현실이나 거래 사례를 보고 그 지역의 거래가를 파악할 수 있음
빅밸류 http://bigvalue.co.kr/	연립, 다세대주택의 시세 정보를 빅데이터를 활용해 분석
디스코 https://www.disco.re/	밸류맵과 마찬가지로 거래 연도, 거래 금액 등을 확인 가능
랜드북 https://www.landbook.net/	다세대, 단독, 다가구주택 토지의 신축 개발 수익성 검토, 실거래가 및 공시지가 조회를 토대로 건축 가능 여부에 대해 대략적으로 판단 가능
일사편리 https://kras.go.kr	비용을 들이지 않고 간단하게 소유주 현황 및 건축물 현황을 확인할 수 있으나, 보다 정확한 정보는 정부24에서 건축물대장을 확인하여 건물의 위반 여부를 확인할 수 있음
평수 https://loan.asamaru.net/area	면적계산기

돌다리 두드리기

첫째도 위치, 둘째도 위치, 셋째도 위치

First Location, Second Location, Third Location

미국의 전 대통령이기 이전에 유명한 부동산 개발업자였던 도널드 트럼프에게 부동산 사업의 핵심은 '건물을 얼마나 잘 짓는가'보다 '얼마나 좋은 입지를 발견했는가'다. 좋은 입지를 발견해 적절한 가격에 매입한 후, 수익을 최대화할 수 있는 용도를 생각해내는 것, 땅의 가치를 높일 수 있는 명당은 곧 나부터 쉽게, 자주 찾아갈 수 있는 곳이 기본이다.

건물 활용

빌딩을 브랜딩하라

꿈에 그리던 건물주가 됐다는 상상을 해보자. 그렇다면 당연히 내 건물에 입주해 있는 임차인들에 대한 욕심 또한 생기기 마련이다. 신축빌딩이라면 원하는 대로 차곡차곡 임차인을 채워나가면 되겠지만 현실적으로는 안정적인 임차인이 입주해 있는 빌딩을 매입하는 것이 건물주로서 리스크없이 한 걸음을 내디딜 수 있는 방법이다.

안정적인 임차인이란 쉽게 생각하면, 내 빌딩에 입주해서 누이 좋고 매부 좋고, 안정적으로 수익을 창출해내며 건물주에게 정해진 임대료를 제때 꼬박꼬박 지급해줌으로써 상생할 수 있는 임차인을 말한다. 여기에 더 보태자면 특정 임차인과의 만남으로 인해 건물 자체의 가치가 상승하거나 낮아지는 경우가 있다. 임차인 선정의 기준은 부동산 용도에 따라서 달라질 수 있지만, 주거용 부동산의 경우 임차인 상호 간의 유대성, 상업용 부동산은 매출의 극대화, 오피스용 부동산의 경우 용도의 적합성에 초점을 두는 것이 좋다. 임차인tenant 선정 시 혼합mix(부동산을 한 가지 이상의 용도로 활용)을 위한 기준으로 볼 때 중요 임차인과 정박 임차인으로 구분한다.

건물주가 갑, 임차인은 을? 건물을 쥐락펴락하는 '슈퍼 을'

키 테넌트key tenant로 일컫는 중요 임차인은 빌딩의 가치를 높여주고 우량 임차인을 유치하는 데 기여하는 임차인을 말한다. 앵커 테넌트anchor tenant라고 칭하는 정박 임차인은 빌딩의 넓은 면적을 사용하는 주역 임차인으로 공실 발생을 최소화하고, 안정적으로 수익을 창출해내는 성향을 갖는다. 대형 멀티플렉스 극장, 대형 서점, 은행 등 이용객들을 빌딩으로 모이게 하는 슈퍼 '을'들, 상가나 쇼핑몰에 고객을 끌어모으는 핵심 점포 또는 시설이 대표적인 키 테넌트와 앵커 테넌트다. 이들은 상권의 유동인구를 쥐락펴락할 정도로 영향력이 매우 크며 해당 건물에서 낙수 효과*를 기대하는 임차인 수요가 늘어나 빌딩의 공실률을 낮추는 데 일조한다.

최근 선호도가 높은 국내 대표적인 키 테넌트는 스타벅스다. 스타벅스는 모두 본사 직영으로 운영되며, 매출액에 수수료를 지급하는 방식으로 건물주와 계약한다. 매월 지급하는 수수료는 순매출의 약 12~17% 정도로 알려져 있다. 다만, 워낙 인기가 많은 업체이다 보니 건물주가 나눠 받는 수수료율이 조금씩 낮아지고 있다고 한다. 하지만 그럼에도 월 매출이 억 단위 달성은 예사라고 하니 스타벅스가 입점한 빌딩은 연예인들을 비롯한 유명인들 역시 믿고 산다는 말이 과언이 아닐 정도로 월 수익률 측면으로 보나 미래가치 증가의 측면으로 보나 우상향하는, 주식과 비교하면 우량주라고 할 수 있다. 비단 입점 건물 한 채의 가치뿐 아니라 일명 '스세권', 쉽게 말해 스타벅스가 입점해 있는 빌딩뿐 아니라 스타벅스에서 도보 5~6분 거리에 있는 부동산들까지 마치 역세권처럼 잇따른 가치 상승의 효과를 창출해낼 정도로 입점 점포로서 그 영향력은 실로 막강하다. 때문에 주변에 스타벅스 매장이 있다는 것 자체가 입지에 있어 프리미엄으로 작용해 건물주들이 입점 유치를 위해 수개월 간 무상으로 임대를 주는 '렌트 프리rent

* 물방울이 아래로 떨어지거나 흘러내리는 현상으로 경제 용어로는 부유층의 투자와 소비증가가 저소득층의 소득증대로까지 영향을 미치는 것을 의미한다. 쉽게 말해 인기 있는 아파트 가격이 오르면 주변의 아파트 가격도 덩달아 오르는 현상이다.

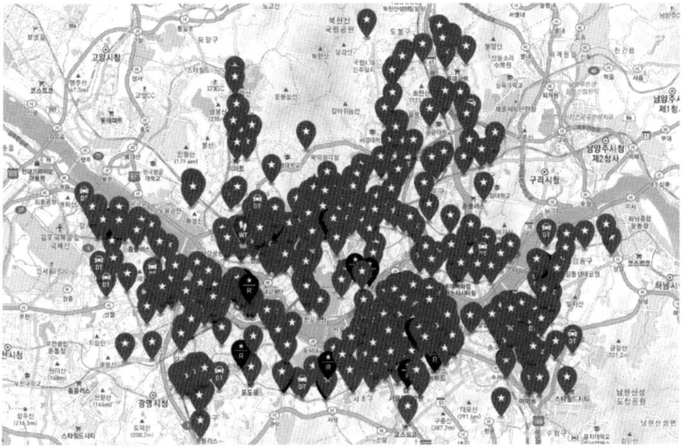

출처: 스타벅스 코리아

서울에 있는 스타벅스 매장 상황이다. 홍대입구역에서 합정역 사이만 해도 스타벅스 매장이 무려 10개나 있다.

free'를 조건으로 내걸기도 한다.

커피숍이라고 다 같은 업종으로 봐서는 오산

임차 업종을 고려함에 있어서 같은 종류의 커피숍이라고 해도 수익을 발생시키는 여건은 극명하게 다를 수 있다는 점을 인지하는 눈도 필요하다. 시중에서 쉽게 접할 수 있는 커피숍을 보자. 바리스타가 가게에서 직접 원두를 볶아서 커피를 만드는 개인 커피숍은 수익 구조에서 제조가 차지하는 비중이 크다. 커피를 만들어서 고객에게 제공함으로써 수익을 발생시키는 것이 기본이다. 이와는 조금 다르게 테이크아웃 비중이 큰 프랜차이즈 커피숍들의 실질적인 영업목표는 단시간에 많이 팔아 높은 회전율로 매출 극대화를 목표로 하는 유통의 비중이 상대적으로 더 높다고 할 수 있다. 스타벅스의 경우 최상급의 원두 제공과 함께 '머물고 싶은 문화적 경험과 공간을 판다'는 것을 기업의 핵심 가치로 꼽는 만큼 공간당, 테이블당 매출을 높일 수 있는 부가수익 요소의 창출에 심혈을 기울인다. 요식업으로 분류되는 삼겹살집에서 실질적으로 매출을 높이는 요인은 고기를 판매하는 것보다 주류 판매 등으로 테이블당 매출 소비를 늘리는 것이 관건이라는 것을 알면 이해하기 쉽다.

건물주가 굳이 이런 것까지 알아야 할까 생각할 수도 있지만, 임차인의 업종에 따라 서로 윈윈win-win할 수도 있고, 매출이 좋지 않아 건물 탓, 임차인의 역량 부족 탓을 하며 서로 얼굴을 붉힐 수도 있다. 회전율이 중요한 커피숍이 접근성은 떨어지지만 오래 앉아 머물고 싶은 운치 좋고 고급스러운 외관의 빌딩에 입점해서 영업상 손익분기점을 넘기지 못할 경우 임차인과 임대인의 관계는 그리 유쾌하지 않게 끝날 소지가 다분하다. 그러니 상대에 대한 이해의 폭을 넓혀 두면 손해 볼 것 없다.

임차인 혼합은 업종 구성 시뮬레이션을 활용하자

소비자들에게 지속적인 관리로 특정 상품의 이미지만으로도 상품과 회사를 인지시키는 마케팅의 한 방법, 우리는 이를 브랜딩branding이라고 말한다. 같은 맥락에서 내 빌딩에 입주해 있는 업종 하나하나가 내 건물에 대한 이미지와 가치를 부여하게 된다.

오피스나 주거형 복합 빌딩의 구성은 비교적 단순하다. 보통 지하층이나 저층부에는 상가가 들어가고 지상 2층부터는 주거시설이나 오피스가 자리하게 된다. 상가 1층에는 주로 식음 및 판매 업종이면 무난하다. 다만, 지하층에 노래방, 술집이 자리할 경우 소음 등이 상층부에 영향을 미쳐 상대적으로 공실률을 높일 수 있다. 근린상가도 주변 상가들의 층별 구성을 보고 업종 구성에 대해 시뮬레이션을 해보면 유용하다.

5층짜리 소형빌딩을 예로 들면 A빌딩의 경우 층별 구성이 크게 아쉬운 부분 없이 무난하다고 볼 수 있다. B빌딩은 소아과와 학원의 층이 서로 바뀌면 이용자 측면에서 보다 편리한 건물이 될 수 있다. 의원의 경우 불특정 다수가 방문하는 곳으로 상대적으로 학원보다 접근성이 중요하기 때문이다. 5층의 필라테스와 4층의 독서실도 서로 바뀌는 것이 더 바람직하다. 조용히 집중해야 하는 독서실 위에 운동시설이 있으면 층간 소음 문제가 발생하기 쉽다. C빌딩은 프라이버시를 중시하고 주거의 성격이 강

업종 구성 시뮬레이션

	A	B	C	D	E
5층	학원	필라테스	다방	학원	주점
4층	피부과	독서실	고시텔	탁구장	사무실
3층	치과	소아과	사무실	학원	노래방
2층	은행	학원	음식점	치과	미용실
1층	편의점	약국	소매점	소매점	소매점

한 고시텔을 가장 위층으로 보내는 것이 바람직하다. D빌딩은 학원이 자리하고 있는 3층과 5층 사이에 탁구장이 아쉬운 부분이다. 공부에 집중할 수 있는 환경이 필요한 상황에서 역동적인 운동을 즐겨야 하는 탁구장은 다소 조화를 깨뜨리는 구성이다. E빌딩 역시 고객들이 오래 머무르며 쾌적한 환경을 중시하는 미용실과 업무용 사무실 사이에 있는 노래방, 주점과 노래방 사이에 있는 사무실이 위태롭게 보인다. 유흥주점이나 노래방, 운동시설 등 소음 발생 빈도가 높고 역동적인 업종의 비중이 커지면 정적인 업종과 상하층에 확실한 분리, 구분을 해주거나 아예 업종 자체를 몰아서 건물 자체를 정적인 업종과 동적인 업종 중 한 가지 색

으로 조율하는 것도 현명한 방법이다.

이처럼 임차인을 선정할 때는 상호 보완적 관계에 있는 임차인 선정이 바람직하며, 상호 적대적인 관계를 갖는 경쟁 임차인이나 다른 임차인의 유입을 방해하는 혐오 임차인 등이 이미 구성되어 있는 경우 임차인 구성의 변경 가능성에 대해서도 반드시 사전 조사가 필요하다.

돌다리 두드리기

할 수 있는 모든 '품'을 들여라

중소기업청에서 운영하는 상권정보시스템에서는 빅데이터를 통해 인구, 직업, 학교, 교통 등 업종별 상권분석 정보를 무료로 제공하고 있다. 타깃으로 하는 지역이 있으면 해당 지역에 대한 빌딩 업종 구성 시뮬레이션을 보다 정밀하게 해볼 수 있으니 적극 활용해보자!

1 원하는 지역의 주소를 입력한다.

2 업종을 선택하고 분석하기를 클릭하면 해당 업종에 대한 월평균 추정 매출을 알 수 있다.

3 회원 가입 후에는 상세 분석을 통해 해당 입지에 대한 보다 자세한 보고서를 뽑아볼 수 있다.

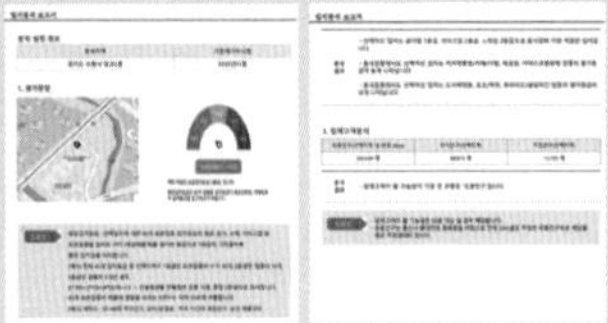

건물 운용

아는 만큼 돈이 된다

손가락 하나로 클릭! 앉아서 돈 버는 시대라고 하지만 너도나도 다 아는 것만으로 과연 돈이 될까? 빌딩 투자는 아이디어가 돈이 될 수 있고, 움직이는 만큼 불릴 수 있다. 빌딩을 고르는 단계에서 많은 사람들의 눈에 들어오는 건 수익률이다. 여기서 수익은 일반적으로 월세 수입과 보증금 운용 수입으로 발생하는 임대 수입이다. 조금 더 세밀하게 접근하면 관리비 수입과 기타 수입이 발생할 수 있다. 기타 부가 수입에는 주차장 운영 수입, 광고판 운영 수입, 오피스형 빌딩의 경우 회의실이나 미팅룸 등 공유공간의 대여를 통해서도 수익이 난다.

하지만 수익만큼 비용도 만만치 않다. 건물 운영에는 일반 관리비, 수도 · 광열비, 시설유지비 등의 경비가 따르기 마련이다. 필요경비는 빌딩의 규모가 커질수록 지출의 범위와 규모도 증가한다. 기대했던 수익률만 맞추는 것이 능사가 아니다.

자가 관리 vs 위탁 관리 vs 혼합 관리

지금까지 우리 사회에서 빌딩부자들은 고령층이 절대다수를 차지해왔다. 이들은 건물의 자가 관리에 익숙하며, 작은 지출에도 민감하고, 타인에게 자산관리를 맡긴다는 것에 대한 불신이 깊은 편이다. 반면, 신흥 건물주들의 연령대는 점점 낮아지고 있으며, 이들은 별도의 직장이나 사업체가 있는 경우도 많아 직접 관리에 어려움이 따른다. 빌딩관리 앱까지 개발된 스마트한 시대를 살고 있지만, 규모가 커질수록 관리의 영역 또한 인력과 전문성이 필요하기 마련이다.

빌딩관리 업무는 크게 자산관리, 종합관리(경영관리, 시설관리, 보안관리, 미화관리)로 구분할 수 있다. 자산관리는 말 그대로 빌딩 한 채의 기준이 아니라 특정 개인이 보유하고 있는 수익형 부동산을 통틀어 관리하는 형태를 지칭한다. 종합관리는 빌딩 한 채를 기준으로 필요한 하위 관리 영역, 다시 말해 시설의 기술적인 유지 · 관리, 임대료부터 시작해서 손익 계산 회계 관리 등 재무적인 사항 전반에 관한 운영 · 관리, 보안을 위한 관리, 청소 · 용역 · 기타 환경미화적인 사항 전반에 관여하는 관리 모두를 일괄 담당하는 것을 말한다.

소규모 빌딩의 경우 건물주가 직접 관리하거나 직접 직원을 고용해서 관리할 수 있는데 빠른 소통으로 입주자에게 편의나 서비스 제공이 용이하고, 건물주의 건물에 대한 애호도가 높으며, 내부사항에 대한 기밀 유지가 쉽다는 장점이 있다. 다만, 관리 초보일 경우 전문성이 떨어질 수밖에 없고, 이로 인해 불필요한 관리비 지출이 늘고, 건물 관리 업무 때문에 건물주가 다른 일에 전념하기 어렵다는 점, 직원들이 직무 태만에 빠질 수 있다는 점 등 단점도 존재한다.

관리 전문가에게 위탁하여 관리를 맡길 경우 건물주는 다른 일에 전념할 수 있고, 관리 업무자가 타성에 젖게 되는 것을 예방할 수 있으며, 체계적 · 합리적 · 효율적인 관리 업무로 안정감을 줄 수 있다. 하지만 종합관리로 갈수록 관리를 위해 필요한 지출 규모도 늘어나고, 기밀유지나 보안에 취약할 수 있으며, 사설업체인 만큼 건물에 대한 애호도가 상대적으로 낮을 수 있다는 점, 업체의 경험과 노하우에 따라 만족도가 다를 수 있다는 단점도 있다.

혼합관리 방식은 가능한 부분은 건물주가 직접 케어하고 일

자산관리

고객이 보유하고 있는 수익형 부동산을 통틀어 체계적으로 운용·관리하여 수익 극대화, 자산가치 최대화 추구

- 시장 분석
- 매입 및 매각 컨설팅
- 금융 대안 모색
- 빌딩의 손익분기점 파악(수익률 분석 및 개선 업무)
- 개발 부지 선정, 보유 부동산의 활용 방안 검토, 거래 협상

종합관리

총괄 빌딩관리 컨설팅

경영관리

- 우량 임차인 유치
- 임대차계약서 작성 대리
- 임대가 설정(주변 시세 대비 적정가 산출)
- 임대료 징수, 독촉(구두→내용증명→지급명령→명도작업)
- 임차인 불만 해결

시설관리

- 건물관리소 운영
- 관리비 부과 및 수납 대행
- 시설 안전관리(영선관리, 전기 안전관리, 승강기 안전관리, 방화 안전관리)

경비&보안관리

- 방제실 운영
- 경비 인력관리(수급관리)
- 경비 노무관리
- 경비원 직무 및 서비스 교육
- 주차장관리 계획 및 운영

미화관리

- 미화 인력관리(수급관리)
- 미화 노무관리
- 건물 전반의 미화 계획 (외벽청소, 바닥광택, 건물 주변 바닥돌 폴리싱, 물탱크 청소 및 소독 등)
- 조경관리 및 방역

부만 전문가에게 위탁하여 관리한다는 측면에서 합리적일 수 있을지 모르지만, 관리상의 문제가 발생했을 경우 책임소재가 불분명해지고, 서로 간의 이견으로 갈등이 불거질 수 있는 측면도 있으니 관리 방식을 선택하는 데 있어 참고하길 바란다.

통장 불려주는 똑똑한 리모델링

빌딩을 필요한 용도와 목적, 임대수익률과 직접적으로 연결되는 입지와 배후수요에 따라 수지타산에 맞춰 효율적으로 관리하는 방법 외에도 리모델링을 통해 빌딩의 가치를 업그레이드할 수 있다. 건물을 완전히 허물고 새로 짓는 개축(기존 건축물의 전부 또는 일부를 철거하고 그 대지 안에 종전과 동일한 규모의 범위 안에서 건축물을 다시 짓는 것)과 달리 모든 층을 비울 필요 없이 층별 공사가 가능해 수익이 제로가 되는 공백기가 발생하지 않고 공실 부담까지 줄일 수 있어서 건물주 입장에서는 하나의 좋은 대안이 된다.

다음 두 사례는 최근 리모델링을 통해 환골탈태한 빌딩이다. 잠원동 먹자골목 빌딩의 경우 다가구주택을 근린생활시설로 변경할 계획으로 매입했다. 다가구주택은 관리가 어렵고 세입자들이 거주 기간 동안 보수 조치를 요구하는 경우가 많아 용도를 변경한 것이다. 이 건물주는 리모델링을 통해 매월 통장에 들어오

	리모델링 전	리모델링 후
규모	지하 1층~지상 4층	지하 1층~지상 4층
시세	67억 원	110억 원
임차 업종	다가구주택	근린생활시설
임대 조건	보증금 4억 원 월 800만 원	보증금 5억 원 월 2,750만 원
임대수익률	연 1.52%	연 5.32%

잠원동 먹자골목에 위치한 빌딩으로 2020년 67억 원에 매입해 리모델링 후 110억 원에 매각했다.

	리모델링 전	리모델링 후
규모	지하 1층~지상 4층	지하 1층~지상 5층
시세	125억 원	280억 원
임차 업종	근린생활시설	근린생활시설
임대 조건	보증금 5억 원 월 1,700만 원	보증금 6.5억 원 월 3,200만 원
임대수익률	연 1.6%	연 3.2%

신사동 가로수길에 위치한 빌딩으로 2020년 125억 원에 매입해 리모델링 후 현재 시세(2021년 기준) 280억 원가량으로 평가받고 있다.

는 임대료뿐만 아니라 건물 가치까지 업그레이드시켜 두 마리 토끼를 다 잡았다. 신사동 가로수길에 위치한 빌딩은 층수를 한 층 올린 수직 증축과 외관 리모델링을 통해 1년 만에 임대수익을 2배 이상 업그레이드했다.

이렇듯 빌딩 거래를 지속적으로 해온 투자자들은 리모델링을 통해 빌딩의 가치를 업그레이드할 수 있는지 여부를 쉽게 판단할 수 있다. 하지만 초보자들에게는 쉽지 않은 일이다. 따라서 기준이 필요하다. 첫째는 건물이 조금 허름하지만, 주변 건물들의 시세에 비해 가격이 저렴하다면 그 건물을 여러 후보들 중 선순위에 올려도 좋다. 주변 건물들은 70억 원대인데 50억 원대의 매물이 있다면 리모델링 예산을 10억 원으로만 책정해도 투자금액은 60억 원이다. 이 경우 리모델링을 통해 건물의 가치를 올리면 된다.

둘째, 건물을 아예 허물고 새로 짓는 신축, 어느 정도 골격을 살려두고 다시 짓는 개축, 아니면 일부 리모델링을 선택할 것인지를 고려해야 한다. 이때는 관련 전문가와의 상담을 통해 여러 업체의 견적을 받아보는 것이 필요하다. 업계에서는 일반적으로 수익률을 고려해 요즘 시세로 3.3㎡당 공사비용이 400만 원이 넘어가면 다 허물고 새로 짓는 편을 추천한다. 그러므로 건물 가격의 20%가 넘어가면 리모델링은 포기하는 편이 낫다.

이 두 가지 기준을 두고 리모델링 전문가에게 견적을 받으면 리모델링을 할 만한 가치가 있는지 없는지에 대한 나름의 판단을 내릴 수 있다.

엘리베이터 유무가 주는 가치: 접근성 개선

리모델링의 종류 역시 책 한 권 분량에 달할 정도로 다양하지만, 상가건물의 경우 엘리베이터의 유무만으로도 가치 상승을 확인할 수 있다. 임대료는 접근성이 뛰어난 1층이 가장 높고, 그 외 층들은 맨 꼭대기 층의 루프탑 같은 특별한 프리미엄이 있지 않은 한 동일한 구조와 면적을 기준으로 했을 때 오히려 층수가 올라갈수록 임대료가 낮아진다. 층수가 높을수록 이용객들의 접근성이 떨어져 세입자의 매출이 아래층보다 상대적으로 떨어지기 때문이다.

계단식으로 되어 있는 꼬마빌딩의 경우 엘리베이터를 설치해서 층별 임대료를 높이는 방법도 고려해볼 수 있다. 오래된 건물의 경우 엘리베이터 설치를 염두에 둔다면 첫 번째로는 건축법상 건폐율과 용적률에 여유가 있어 설치가 적법한지 확인이 꼭 필요하다. 법적으로 문제가 없으면 다음 수순은 수지타산이 맞는가, 다시 말해 엘리베이터를 설치하는 비용 대비 이후 임대를 통해 투자금을 흑자로 전환할 수 있는가에 대한 판단이 필요하다.

필자가 알고 있는 한 사례자의 경우 10년 전 지하 1층~지상 5층짜리 꼬마빌딩(보증금 1억 5천만 원, 월 임대료 1,200만 원 선)을 20억 원대에 매입해서 엘리베이터 공간 철거 및 신설에 약 1억 원을 투자(엘리베이터 가격 약 5천만 원, 철골 공사와 마감 공사를 포함한 설치비용 약 5천만 원)했다. 당시 1층의 월세가 평당 10만 원으로 2, 3, 4, 5층은 이보다 훨씬 낮았다. 하지만 엘리베이터 설치 이후 1층과의 평당 월세 격차를 줄일 수 있었다. 그래 봐야 월세 100만 원 정도 더 받은 수준이라고 할 수도 있지만 10년 후 이 빌딩을 매각했을 때 2배 가까운 40억 원대에 처분했으니 비단 엘리베이터 설치로만 만들어낸 가치 상승은 아닐지라도 여타의 요인들과 더불어 엘리베이터 설치가 시너지를 발휘한 것은 자명한 사실이다.

여기에 한 가지 팁tip을 보탠다면 장애인용 승강기, 에스컬레이터 등의 면적은 근린생활시설, 문화 및 집회 시설, 판매시설, 공동주택에서 용적률 산정 시 제외된다. 쉽게 말해 일반적으로 건물에 엘리베이터를 설치하려면 공간이 필요하고 계단이나 임차 공간만으로 엘리베이터 설치가 불가능할 경우 외벽 등의 건물 면적을 넓혀서 설치해야 하는데, 이때 법이 규정하는 용적률을 넘게 되면 엘리베이터 설치 자체가 불가능해지지만, 장애인 엘리베이터의 경우 규정된 용적률에 포함하지 않으므로 건물에 추가 설치가 가능하다는 이야기다.

상권이 좋은 곳에 위치한 빌딩은 2층 가게 자리를 위해 별도의 옥외 계단을 만들어주는 아이디어도 생각해볼 수 있다. 또한 입지에 따라 주차시설이 필요하다고 판단되는 경우 주차타워를 설치하는 것만으로도 임대료와 시세차익을 높일 수 있다. 이를 우리는 "비용 아닌 비용을 들였다", "자본적 지출을 감행했다"라고 표현한다. 때와 상황, 목적에 따라 건물의 가치를 업그레이드하는 지출은 비용이 아닌 투자다.

돌다리 두드리기

**건물주의
또 다른 이름은 사업가다**

보통 건물주라고 하면 가만히 앉아서 꼬박꼬박 세를 받는 팔자 좋은(?) 사람이라고 생각할지 모른다. 하지만 같은 건물이라도 아이디어를 발휘해 건물주가 어떤 식으로 건물을 계획하고 관리하며 운용하는가에 따라 그 이상의 가치를 창출해낼 수 있다.

잠깐! 놓치면 안 되는 것들

세금과 문서

빌딩, 즉 수익형 부동산은 말 그대로 수익을 내기 위한 목적으로 소유하는 건물이다. 그렇다면 현재의 가치뿐 아니라 미래의 가치까지 판단해야 한다. 내가 소유할 빌딩의 장점뿐 아니라 단점까지도 파악해야 함이 마땅하다. 그러나 그 누구도 굳이 여기까지 함께 짚어주며 동행할 의무도 보장도 없다. 오히려 거래를 위해 장점만 앞세우고 단점은 숨기는 경우가 다반사다. 결국 내가 알아야 피해를 볼 확률이 줄어든다.

올어바웃 세금

빌딩 거래에서 많은 사람들이 가장 간과하기 쉬운 부분이 있다면 아마도 세금과 문서가 아닐까. 세금은 취득(매입)부터 보유, 임대, 양도(매각)까지 단계별로 부과된다. 때문에 초기에 예상했던 예비 건물주의 기대수익률을 당황스럽게도 확 낮춰버리는 중요한 변수다. 그래서 듣기만 해도 복잡한 세금 관련 용어들은 빌딩으로 향하는 첫걸음을 내딛고도 다시 후퇴하게 만드는 높은 진입장벽이 아닐 수 없다. 열에 아홉은 마주하고야 마는 세금 납부를 앞두고 알고 대비하는 사람과 전혀 모르는 사람이 겪게 될 혼란과 충격은 천지 차이다. 절세를 위해 이렇게 저렇게 계산기를 두드려보는 노력까지는 못하더라도 추후 이런 것들을 납부해야 한다는 것쯤은 꼭 알아두자.

▶ 취득세

계약서상 잔금 지급 약정일로 표기된 취득일로부터 60일 이내에 지자체에 신고, 납부해야 하는 세금으로 빌딩의 용도에 따라 요율은 다르다. 상가형 빌딩은 무조건 4.6%가 부과되며, 주거형의 경우 6억 원 이하는 1.3%, 6억 원 초과~9억 원 이하는 2.4%, 9억 원을 초과하게 되면 3.5%가 부과된다. 법인의 경우에는 부동산 취득금액 안에 중개수수료도 포함되며, 5년 이내의 신규법인이 과밀억제권역 안의 부동산을 취득할 경우 취득세도 중과된다.

▶ 부가가치세

주택 이외의 건물, 즉 상업용 부동산의 경우 건물분에 한해서 부가가치세가 발생한다. 부가가치세는 건물가액의 10%로 임대사업자로 등록할 경우에는 이를 환급받을 수 있다. 단, 등록 시기별로 환급 규모가 달라지는데, 계약금 지급 직후에 사업자등록을 하면 전체 건물분에 해당하는 부가가치세 환급이 가능하고, 건물이 완공될 때쯤 사업자등록을 하면 계약금과 중도금 관련 부가가치세는 환급받지 못한다. 국세청이 사업자등록 신청 전 받은 세금계산서 관련 부가가치세는 환급해주지 않기 때문이다.

하지만 '포괄양수도제도'를 활용하면 부가가치세 납부와 환급 절차를 패스할 수도 있다. 신축건물이나 주거용 건물에는 해당하지 않으며 임대가 실행된 상가나 임대 사업용 오피스텔과 같은 건물을 매매할 경우 매수자가 매도자에게 부가가치세를 주면 매도자가 납부하고 추후 매수자가 환급받는 절차가 있는데 절차상의 번거로움을 줄이기 위해 그냥 서로 안 주고 안 받기로 계약서상 특약으로 기록한다. 이를 포괄양수계약 혹은 포괄양수제도라 부른다.

▶ **재산세**

수익형 부동산을 소유하게 되면 건물분(매년 7월)과 토지분(매년 9월)에 대한 재산세를 납부해야 한다. 재산세의 경우 부가가치세, 종합소득세, 법인세처럼 신고 기간에 알아서 신고해야 하는 세금들과는 달리 고지서가 송부되며, 청구된 금액대로 납부하면 된다.

▶ **주민세**

330㎡ 이상 사업장의 사업주에게 부과되는 세금으로 1㎡에 250원으로 산정된다. 소유면적이 330㎡일 경우 330㎡×250원=82,500원이 부과된다.

▶ **교통유발부담금**

연면적 1천㎡ 이상의 시설물일 경우 교통 혼잡에 대한 책임을 원인자부담의 원칙에 따라 부과하는 세금으로 '부가대상면적×단위부담금×교통유발계수'로 산정해서 등기부상의 소유주에게 부과한다. 이때 단위부담금과 교통유발계수에 대한 산정은 지역과 건물에 따라 각기 다르므로 보편적인 금액 산출은 가능하기 어렵다.

▶ **임대료 부가가치세**

임대수익을 얻는 수익형 부동산은 매달 임대료에 대한 세금계산서를 발행한다. 매달 임대료가 100만 원일 경우 100만 원에 대한 부가가치세 10%가 발생하게 된다. 100만 원의 10%에 해당하는 10만 원의 부가가치세는 임대인이 임차인으로부터 임대료, 즉 세를 받음으로써 부를 축적했다 하여 국가에 신고 및 납부 의무를 지는 세금이다. 임대료 부가가치세 신고와 관련해서 많은 예비 건물주들이 착각하기 쉬운 점이 바로 임대료의 10%만 부가가치세로 납부하면 된다는 것이다. 하지만 간주 임대료의 10%도 부가가치세로 납부해야 한다. 간주 임대료란 수령한 보증금을 은행에 맡길 경우 이자수익이 발생하게 되고, 그 이자수익 또한 월세처럼 소득으로 책정되어 세금 납부의 의무를 지게 된다.

▶ 종합소득세

월 임대료뿐 아니라 포괄적인 임대수익에 대한 종합소득세(월 소득+이자소득+배당소득+사업소득+근로소득+연금소득+기타소득)는 다음 해 5월에 납부한다. 빌딩의 소유주가 개인사업자일 경우에는 종합소득세를 신고 및 납부해야 하며, 소유주가 법인일 경우에는 법인세를 신고하고 납부해야 한다. 종합소득세에 있어서 반드시 알아야 할 부분은 초과누진세율이 적용되어 소득이 커질수록 세율이 상승한다는 부분이다.

세법에 있어 종합소득세보다 법인세로 납부하는 것이 세금 절감에 효율적인 측면도 있어 이를 위해 빌딩 매입 시 개인사업자보다 법인사업자의 형태를 구성하는 경우도 있다. 하지만 법인세의 경우 법인자금이 법인 대표의 개인 급여 또는 배당금으로 돌아갈 경우 대표 개인의 종합소득세를 다시 계산해서 납부해야 하고, 법인과세표준 2억 원까지는 세율이 10%지만, 2억 원 이상이 될 경우 세율 역시 20%로 상승하기 때문에 꼭 좋은 것만은 아니다.

또한 2천만 원을 기준으로 상가는 이를 무조건 내야 하지만 다가구나 상가주택은 연 2천만 원이 넘으면 종합과세, 2천만 원에 못 미치면 분리과세와 종합과세 중 선택하여 계산한다. 특이사항이라면 대출이 끼어 있을 경우 대출이자에 대해 공제를 해준다. 한 달 기준으로 임대료(월세) 300만 원을 받고 대출이자 50만 원이 나간다고 하면 소득은 250만 원으로 책정된다. 때문에 과세표준 구간이 낮아져 절세에 있어서 혜택을 볼 수 있는 부분이라고 할 수 있다. 단, 세금계산서 발행 후 간편장부 작성이 꼭 필요하며 일정 기간 반드시 보관해두어야 한다.

신고 방법은 장부로 신고하는 장부신고와 장부 없이 비용을 대략 계산해서 신고하는 추계신고가 있는데 추계신고가 상대적으로 간편한 방식이라고 볼 수 있다. 그래서 5월 초 국세청이 보낸 안내문에 따라 추계신고하는 경우가 많은데 임대료 비용은 국세청에서 정하는 일정한 비율 또는 셈식으로 정해진다. 단, 때에 따라 장부신고를 하게 되면 세금이 더 줄어드는 경우가 있어 이를 인지하고 자기 상황에 맞게 효율적으로 선택하면 된다.

▶ 양도세

양도세는 대통령령으로 정하는 재산의 소유권을 양도하면서 발생하는 소득에 부과하는 조세를 말한다. '양도'란 매매, 교환 등으로 소유권이 다른 사람에게 유상으로 넘어가는 것을 의미하며 '양도차익(소득)'이란 양도가액에서 취득금액과 필요경비, 공제금액을 제외한 소득이다. 건물을 매각할 때 대출금이 남아 있다 하더라도 양도세와는 무관하며, 소유주가 개인일 경우 양도일이 속한 달의 말일부터 2개월 이내에 납부, 소유주가 법인인 경우에는 부동산 양도소득에 타 소득을 합산해서 해당 사업연도 종료일로부터 3개월 이내에 양도세가 아닌 법인세 명목으로 신고, 납부해야 한다.

종전에는 법인 소유의 부동산으로 투자할 경우 개인에 비해 상대적으로 각종 대출 규제에서 벗어나고 명의 활용에 제한을 받지 않으며, 건강보험료 부담이 감소하는 등의 이점뿐 아니라 최대 35%까지 절세 효과를 볼 수 있어 법인 소유의 부동산 투자가 많았다. 하지만 정부에서 투기를 막고자 하는 목적으로 법을 계속 개정해 혜택들이 줄어들고 있는 추세다. 그럼에도 불구하고 법인 소유 부동산의 장점이라면 단기 소액투자에 유리하고, 양도세가 개인의 경우 최대 75%까지 적용되는 데 비해 최대 부과율이 45%에 불과하고 경비처리의 폭이 크다는 점이다.

그렇다고 단점이 없는 것은 아니다. 취득세와 종부세가 강화되면서 이에 대한 세금이 늘어났다. 법인의 경우 장기보유 특별공제가 없고, 소득이 2천만 원 미만일 경우 종합소득세가 14%, 지방소득세가 1.4%, 건물 부가가치세는 10%가 발생하게 되어 추가로 납부해야 할 세금이 늘어난 것이다. 그밖에 알아 두어야 할 부분으로 법인 부동산의 양도세는 2억 원 이하는 10%부터, 3억 원 초과는 25%까지 세율이 올라간다는 점이다.

평생 안고 갈 빌딩 한 채를 장만할 목적이라면 그에 적합한 세금에 대해 꼭 공부하길 바란다. 적법하고 가장 효율적으로 절세 방안을 모색하는 것은 불가능하거나 어려운 일이 아니다. 정보의 창구가 도처에 열려 있는 스마트한 세상인 만큼 마련되어 있는 시스템을 적극 활용하면 얼마든지 가능하다. 하지만 규모가 커지면 커질수록 빌딩 한 채를 매입하고 매각하기까지의 과정을 건물주가 모두 컨트롤하기에는 현실적으로 비효율적이며 피로가 가중되는 일이다. 그러므로 전문가의 손을 빌려 절세 방안에 대한 시너지를 내는 것도 한 방법이다. 다만, 한 빌딩의 주인으로서 이 모든 상황을 관장하는 컨트롤 타워는 부디 건물주 본인 스스로이길 바란다. 그렇지 않을 경우 세무 전문가에게만 전적으로 의지해서 발생할 수 있는 리스크 또한 건물주의 몫이 된다.

아무도 먼저 챙겨주지 않는 문서

세금까지는 우여곡절 끝에 해결하고 이제 계약서에 사인을 하고 열쇠를 넘겨받기만 하면 된다고 하자. 매매계약서에 도장 날인하고 열쇠를 넘겨받아 빌딩 문을 열었는데, 뜻밖에 지옥문을 열었는지도 모른다. 이게 대체 무슨 끔찍한 이야기일까?

큰 금액이 오가는 수익형 부동산 거래가 걱정되고 두렵다고 해서 무턱대고 중개인이나 대리인에게만 의지해서는 안 된다. 내가 쥔 열쇠가 어떤 문을 열 수 있는 열쇠가 될 것인지의 행방은 곧 관련 문서를 파악하고 분석해서 검증할 수 있는 나의 안목에 달려 있다. 다음의 여섯 가지 공적 문서만 확인해도 발생할 수 있는 사고를 피해 가는 확률을 높일 수 있으니 꼭 참고하길 바란다.

▶ 등기사항전부증명서 ((구) 등기부 등본)

부동산에 관련된 소유 및 권리관계 현황이 명시되어 있으며 지번(주소), 지목, 구조, 면적 등 건물에 대한 특징과 저당권, 예고등기, 전세권, 가압류 등 권리관계와 설정 여부를 확인할 수 있다. 건물 등기사항증명서와 토지 등기사항증명서로 나누어 확인할 수 있는데 토지주와 건물주가 다른 경우가 있으므로 각각 발급받아 확인해야 한다.

▶ 건축물대장

건축물대장이 없는 건축물의 경우 곧 하자가 있는 건물, 무허가 건물이라고 할 수 있다. 건축물의 준공날짜, 주소, 대지면적, 연면적, 건축면적, 용도지역, 용도구역, 전용면적, 구조, 용도, 층수, 건폐율, 용적률 등 건물에 대한 전반적인 사항과 소유주, 건축주, 설계자 등의 인적 정보를 확인할 수 있으며, 등기사항전부증명서와 비슷해 보이지만 권리관계에 관한 내용이 없고, 발급 비용이 무료라는 차이점이 있다.

해당 건물이 법에 저촉되는 부분이 없는지 용도와 면적 확인은 필수다. 건축물대장상의 용도와 실제 용도가 달라 매입 후에 위법건축물로 적발될 경우 이행강제금 납부 조치를 선고받을 수 있고, 위법건축물 해제 조치를 위한 비용이 상당할 수 있다. 아울러 이와 관련한 특이사항은 임대차보증금, 임차료, 관리비 등의 협상에 있어 유용한 참고자료가 된다. 특히 면적을 임의로 늘려 실제 사용면적이 줄어드는 경우가 있으므로 이런 부분에 대해 알고 협상하면 매입 시 가격 협상에서 멀쩡하게 눈 뜨고 코 베이는 일은 피할 수 있다.

▶ 토지이용계획확인원

건물의 문서뿐 아니라 건물이 자리 잡고 있는 터, 땅에 관한 기록도 놓쳐서는 안 된다. 토지이용계획확인원은 토지의 이용 용도와

고도 제한 등 토지이용의 제한 여부를 확인할 수 있는 문서로 각각의 용도와 지역별로 건폐율, 용적률, 대지의 분할 제한이 다르게 적용되므로 해당 토지에 적용되어 있는 규제들을 확인하고 원하는 용도로 활용이 가능한지 확인해야 한다. 특히 매입 시 증축, 개축, 리모델링 등을 염두에 둘 경우 꼭 필요한 문서다.

▶ **토지대장(임야대장)**

토지의 소재, 면적, 지목, 등급, 개별공시지가, 소유주의 성명, 주소, 주민등록번호 등 토지에 관한 이력이 기록된 서류로 토지의 변동사항과 건물주와 토지주가 동일한지 확인이 가능하다. 무엇보다 토지대장 사전 열람의 최대 장점이라면 연도별 공시지가를 확인할 수 있어 해당 토지의 건물 가치가 얼마나 상승했고 하락했는지, 소유자에게 얼마의 금액으로 판매가 됐는지 등을 확인할 수 있다. 그중에서도 유심히 볼 부분은 면적 확인이다. 등기사항전부증명서와 토지대장 면적이 다를 경우 토지대장에 명시된 면적을 우선순위로 보기 때문이다.

▶ **지적도(임야도)**

토지의 위치, 형질, 소유 관계, 면적, 지목, 지번, 경계 등이 명시된 지도로 토지대장상의 소유권, 지적번지 등의 정보를 경계선과 함께 보여주기 때문에 토지의 모양을 한눈에 파악할 수 있는 문서

✓ 빌딩 매입 시 확인해야 할 문서

문서 종류	주요 내용	핵심 체크	발급기관
등기사항전부증명서	소유&권리관계 현황	소유권	법원 인터넷등기소
건축물대장	건물의 이력서	위법건축 여부 서류상 표기된 용도, 면적 답사 후 비교 주차대수 변동사항	정부24 민원24 주민센터
토지이용계획확인원	땅에 관한 기록	공법상 규제사항 도시군 계획 도면	LURIS(국토교통부 운영 토지이용규제정보서비스) 정부24 민원24
토지대장(임야대장)	소재, 면적, 지목	면적, 개별공시지가	정부24 민원24 주민센터
지적도(임야도)	토지 모양 파악 가능한 지도	토지의 위치, 형태, 경계, 도로상황	정부24 민원24 주민센터
개별공시지가확인원	개별 토지에 대한 단위 면적당 가격	땅값의 움직임	정부24 민원24 주민센터

다. 마음에 드는 매물을 발견했다고 무턱대고 현장에 찾아가 보는 것도 한두 번, 사전에 해당 토지에 대한 특성이나 제한 사항 등을 미리 확인해보면 실제 현장답사 시에도 비교 분석이 한결 수월해지고 소요 시간도 단축할 수 있다.

▶ 개별공시지가확인원

매년 국토교통부가 발표하는 표준공시지가를 기준으로 선정한 개별 토지에 대한 단위면적당 가격으로 개별 토지의 용도와 교통 조건, 토지이용 규제 등에 따라 가격이 설정되기 때문에 땅값의 움직임, 흐름을 파악할 수 있다.

돌다리 두드리기

세금과 문서를 보지 않는 빌딩부자는 없다

몰라서 추징당하는 일을 피하는 것이야말로 진짜 절세다. 세금 앞에서 무지는 곧 손해다. 누가 빌딩부자가 되는지는 자금계획안에 세금 스케줄과 납부 계획을 포함하는 자와 그렇지 않은 자로 알 수 있다. 각종 공제 혜택을 알뜰하게 챙기고 여섯 가지 공적 문서를 꼭 확인하라. 결국 세금을 제때 내고 문서를 확인하는 자가 재산을 불린다.

투자의 시대,
돈을 부르는 빌딩은 어떻게 사는가

최저 금액으로 건물주 되는 길, 경매&공매

"국내 톱 개그맨, 용산구 이태원동 소재
단독주택 55억 1,122만 원에 낙찰"

한강진역과 인접한 고급 주거촌에 위치한 해당 주택의 감정가는 60억 9천만 원으로 총 5명이 입찰에 참여, 해당 연예인은 1순위로 낙찰에 성공한 것으로 알려져……

- 2021년 7월 OO일보

코로나19에 실수요 중심의 주택 시장을 만들겠다는 정부의 고강도 부동산 규제정책까지 얹친 데 덮쳐 경기 불황, 부동산 시장의 암흑기로 불리는 요즘, 그럼에도 불구하고 누군가에게는 이 불황기가 최적의 매입 시점이다. 과거 IMF 시절 지금은 상상할 수 없는 낮은 금액에 쏟아져 나온 부동산 매물들을 잡아 크게 부를 축적한 사람들이 있었던 것처럼 말이다. 그만큼 손에 잡히는 실물 자산 중 가장 안정적인 것으로 꼽히는 것이 부동산이다. 이 부동산을 최저 금액으로 매입할 수 있는 방법이 있다. 바로 경매다.

경매 절차는 첫째, 물건 검색, 둘째, 권리분석과 현장 조사, 셋째, 입찰 및 낙찰, 넷째, 잔금 납부 및 명도로, 이 네 단계를 마치면 비로소 건물주가 될 수 있다. 여기서 반드시 알아야 할 3요소는 미래가치분석(지속적으로 호재가 있는 지역의 물건인지 분석), 권리분석(부동산의 소유주와 위치, 저당이나 압류설정 여부 등 권리관계 파악), 자금계획 수립(가용할 수 있는 자금과 대출 가능한도를 파악한 후 투자계획 수립, 최근에는 정부 규제로 LTV와 DTIDebt To Income(총부채상환비율)가 낮아졌기 때문에 한도 확인 필요)이다.

경매 절차

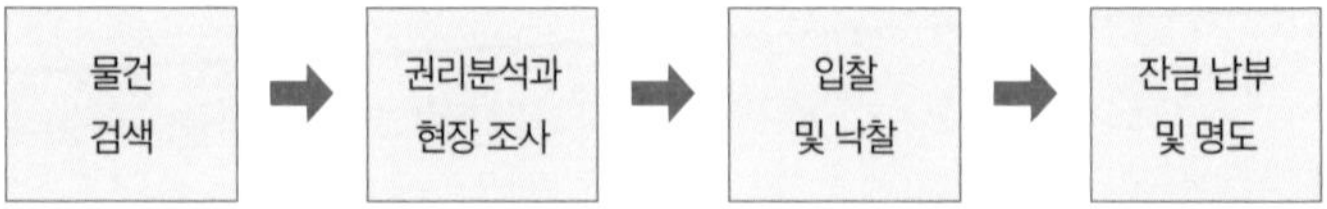

경매와 공매의 장단점

경매는 채권자의 신청으로 법원이 민사집행법에 의거, 경쟁입찰 방식을 통해 매수인 중 최고가로 부른 사람에게 부동산을 팔아 회수하지 못한 돈을 받는 방법으로 민사상 강제집행 방법이다. 시세 조사만 철저히 하고 낙찰받는다면 매입 가격을 스스로 결정할 수 있어 급매보다도 저렴하게 매입할 수 있고, 부동산 거래 시 발생하는 중개수수료가 없다는 점이 장점이다. 특히 최초 입찰에서 입찰자가 없으면 기존의 감정가보다 금액을 낮춰서 다음 입찰이 진행되는 유찰제도가 있어 시세보다 낮은 금액으로 건물주가 될 수 있는 기회를 얻게 된다.

특정 개인이 아닌 국가가 체납자의 부동산을 한국자산관리공사(캠코)에 넘겨 입찰하는 방식인 공매는 국세징수법에 따라 국세 체납 처분 절차의 최종단계로 체납자의 압류재산을 강제적으로 금전으로 환가 처분하는 방법이다. 세금 압류로 진행되는 물건이 대다수이므로 세금에 대한 이해가 필요하다. 경매에 비해 권리관계가 복잡하지 않아 골치 아픈 일은 적으나 그만큼 가격이 높고 선택의 폭도 넓지 않다.

몇 년 전 한 한류스타가 소유한 고급 오피스텔이 캠코의 공매로 나와 기사화된 적이 있다. 관할세무서가 세금 미납을 이유로 해당 호실을 압류한 후 캠코를 통해 공매에 부친 것이다. 당시 매물로 나온 같은 면적의 물건이 55억 원대였으며 감정가는 31억 500만 원이었다. 최저 입찰가는 38억 6천만 원이었으나 한 차례 유찰되면서 입찰 최저가는 34억 7,400만 원으로 낮아졌다. 언론 보도에 의하면 해당 오피스텔은 관할 구청, 세무서, 국민건강보험공단이 압류를 건 상태로 소송에 휘말린 개인 채권자도 1억 원의 가압류를 신청했고, 이뿐만 아니라 금융사와 일부 기업에서 30억 원 이상의 근저당을 설정해 채권총액이 50억 원을 초과한 상태로 확인됐다. 심지어 한 대부업체가 채권 11억 3,284만 원에 대한 법원 경매까지 신청해 구청의 의뢰로 이뤄지는 캠코 공매와 대부업체의 요구로 이뤄지는 법원 경매가 동시에 진행되는 복잡한 매각 과정을 거치게 됐다. 이런 경우 공매와 경매에서 동시에 낙찰자가 나오면 잔금을 먼저 치르는 사람이 우선권을 갖는다.

경매는 1회 유찰 시 최저매각 가격이 매달 20~30% 낮아지지만, 공매는 1주일 간격으로 공매 예정 가격의 10%를 차감해 재공매를 진행하므로 매각 속도도 빠르고, 직접 가지 않고도 온비드www.onbid.co.kr라는 온라인 사이트에서 입찰이 가능해 시간적인 면에서도 자유롭다. 잔금을 전부 지불하지 않고 소유권을 이전(낙찰확인서)받을 수 있다는 점도 대출을 통한 레버리지 효과를 일으키는 면에 있어서 한결 용이하다.

캠코가 매각하는 부동산의 종류는 크게 유입부동산(금융기관의 구조 개선이나 부실기업 지원 목적으로 캠코 명의로 취득), 수탁부동산

(금융기관이나 기업체가 소유한 비업무용 재산의 매각을 캠코에 위임), 국유부동산(국가 기획재정부 소유의 부동산), 압류부동산(국세, 지방세, 각종 공과금 등 체납으로 관할 기관이 세금 징수의 목적으로 매각 의뢰) 네 가지로 구분할 수 있다. 이 중 법원 경매와 절차와 과정이 비슷한 압류부동산을 제외하고 공매는 낙찰가 1천만 원 미만은 매각 결정일부터 7일 이내, 1천만 원 이상은 60일 이내에 잔금을 납부하면 된다. 유입부동산은 1개월에서 길게는 3년까지 나눠서 납부할 수 있는데, 납부 기간을 최대 5년까지 연장할 수 있다. 수탁부동산도 1개월에서 5년까지 분할 납부로 구입할 수 있다. 이때 구입자가 납부할 능력이 되지 않아 매매대금을 모두 납부하지 않았어도 소유권을 변경할 수 있고, 대금의 3분의 1 이상을 납부하면 점유할 수도 있다. 이와 달리 경매는 법원에서만 진행되고 잔금을 모두 지불해야지만 낙찰받은 부동산을 취득하는 것이 가능하다.

아는 지역부터 공략할 것

아파트의 경우 실거래가도 쉽게 확인 가능하고 앱을 통해 진행 중인 호가도 실시간으로 받아볼 수 있는 반면, 수익형 부동산은 동일한 형태의 부동산들을 그룹화하기도 힘들고 가격 정보 또한 찾기 힘들어 기준이 될 만한 정해진 가격이 없다. 그래서 관심 지역을 스스로 한정할 필요가 있다. 너무 멀리, 너무 많이 보기 시작하면 이것도 좋아 보이고 저것도 좋아 보여 또 다른 매물을 보고 나면 이도 저도 부족해 결정장애에 빠지기 십상이다. 나의 손품 발품은 열심히 일을 했음에도 성과와 성취감을 얻지 못할 수 있다. 관심 지역이든, 관심 용도든 너무 오래 걸리지 않는 시간 안에 눈에 익고 잘 아는 지역부터 한정해서 집중적으로 검토해 나아가는 것을 추천한다.

아울러 현재의 상권과 함께 상권의 성장 가능성이 큰 지역을 예상해보는 훈련은 여러 번 거듭해도 지나치지 않다. 현재 시점에서 내가 보기에 좋아 보이는 매물은 다른 사람의 눈에도 좋아 보이기 마련이다. 이는 곧 이미 원하는 가격에 손에 넣을 수 없는 수준으로 가격이 치솟아 있을 것이라는 이야기다. 원하는 입지에 탐나는 빌딩이 있지만, 손에 넣을 수 없는 가격이라고 할 때는 인근에서 아직 오르지 않았지만 덩달아 오를 만한 가능성이 있는 매물을 찾는 데 주력해라. 성장 가능성을 보는 시야의 깊이와 확장이 곧 당신의 건물 가치를 높이는 밑거름이다.

숨어 있는 틈새 가치를 찾아라

다른 사람들은 입찰하려 하지 않는 물건이지만 나만의 기준으로 장점이나 가치를 찾을 수 있는 투자대상을 선택하면 심한 경쟁을 피할 수 있다. 정부 정책이나 지역 상황, 개발계획 등의 흐름을 읽으며 당장 선호되는 입지는 아니더라도 앞으로 전세가 역전될 가능성이 있는 곳 가운데 외형이나 구조상 오래되어 낡았거나 하자가 있어 꺼려지는 부동산일지라도 눈에 보이는 그대로가 아닌 변화한 모습을 상상할 수 있고, 그 변화를 실행에 옮겨 새로운 가치를 부여할 수 있는 곳이라면, 그곳이 부동산으로서 진정한 가치가 있는 곳이다.

용도변경이나 리모델링의 효과는 아무리 언급해도 지나치지 않다. 효과적으로 잘만 활용하면 들인 돈에 비해 임대수익이나 건물 가치 증가 등의 큰 보상으로 돌아올 가능성이 높다. 급매, 경매, 공매로 나온 매물 중 살짝만 손을 봐줘도 보상이 예상되는 물건은 꼭 잡아야 한다.

또한 신축빌딩의 경우 부지만 잘 마련해도 수익이 급상승할 수 있는 만큼 토지매입도 고려해볼 수 있다. 신축사업부지의 경우 감정가의 70~80% 정도에 매입이 가능해 시세보다 20~30% 이상 저렴한 가격으로 낙찰받을 수 있기 때문이다. 중요한 요소 권리 분석상 하자 해결 또는 극복이 가능한 물건인지, 손해 보지 않을 자신이 있다는 판단이 서면 그때는 과감한 결단이 필요하다.

경매 관련 문서는 네 가지만 기억하자

부동산에 첫발을 내딛는 과정에서 문서는 누구에게나 넘기 힘든 진입장벽이다. 경매 관련 문서는 앞서 언급된 바 있는 모든 부동산 거래 시 필수로 확인해야 하는 등기사항전부증명서와 감정평가서, 현황조사서, 매각물건명세서 네 가지만 기억하면 된다. 등기사항전부증명서는 법원과 인터넷등기소에서, 나머지 세 문서는 대한민국법원 법원경매정보www.courtauction.go.kr에서 누구라도 확인 가능하다.

▶ 등기사항전부증명서

부동산 경매에서 중요한 권리분석을 위해서는 등기사항전부증명서를 보는 안목이 필요하다. 투자자들이 증명서 안에 기재된 권리들을 분석해서 낙찰금을 제외하고 추가로 떠안아야 하는 부분이 있는지 확인하는 것이 바로 권리분석이다.

▶ 감정평가서

법원은 감정평가기관으로부터 평가금액을 받으면 이를 최초 매각금액으로 정하는데 입찰일과 감정일자가 반년 이상 차이가 날 경우 현재 시세를 반영하지 못해 입찰에 실패하거나 수익을 내기 어려워질 수 있고, 감정평가 자체가 사람이 하는 일이다 보니 중요 사항이 누락될 수 있어 사전에 감정평가서를 꼼꼼하게 읽어볼 필요가 있다.

▶ 현황조사서

법원 집행관이 해당 주소의 거주자를 찾아가 점유권에 관한 질의응답을 기록한 문서다. 개중 거짓말을 하는 경우도 있어 잘못된 정보가 적힐 우려도 있긴 하지만 소유자, 임차인 점유, 유치권자의 점유 시기, 임차인의 대항력 유무를 알 수 있는 기본적인 자료로 추후 분쟁이 발생할 경우 낙찰자에게 필요한 증거자료가 될 수 있다.

▶ 매각물건명세서

입찰예정자의 의사결정을 위해 가장 신뢰할 만한 기본 문서로 부동산의 표시, 점유자의 권원과 기간, 월 차임, 전입신고일 또는 사업자등록일, 확정일자 등이 기재되어 있다. 주의해서 볼 부분은 최선순위설정일자(말소기준권리일), 배당요구종기일(이해관계인이 자신의 권리만큼 돈을 달라고 신청할 수 있는 마지막 날), 비고란(아무것도 안 적혀 있다면 권리관계가 깨끗한 물건인 반면, 어떤 인수사항이 적혀 있으면 위험요소가 있다는 신호)을 눈여겨봐야 한다.

돌다리 두드리기

아는 만큼 보이고, 보이는 만큼 돈이 된다

경매의 리스크는 유치권이 숨어 있는 물건들이 있다는 것이다. 이런 물건은 빠른 길인 줄 알고 함부로 손댔다가 돌고 돌아 먼 길을 가게 될 수도 있다. 돌아올 길이 아예 아득해질 수도 있으니 해결할 자신이 없다면 피하는 것이 현명하다.

강남의 상가보다 강북·수도권의 빌딩이 더 낫다?!

"썩어도 준치라고, 모로 가도 서울! 그중에서도 영혼까지 끌어모아 갈 수만 있다면 가야 하는 게 강남 아닌가요?"

관심만 있다면 누구나 준전문가에 달하는 지식을 축적할 수 있는 시대, 더 정확히 말하면 우리는 광범위한 지식을 아우르는 전문가보다 특정 분야에서 한층 고수에 가까운 사람들을 주변에서 심심치 않게 접할 수 있는 초고속 정보화 시대를 살고 있다.

이러한 시대를 반영하듯 수익형 부동산의 매물을 찾는 데 있어서 필자의 도움을 필요로 하는 예비 건물주들과 만나 대화를 나누다 보면 열에 아홉은 위와 같은 나름의 기준을 갖고 있다. 그럴 때면 필자는 그렇다와 아니다로 선뜻 답을 내리기 힘든 약간의 고민을 거치게 되는데 사실 곰곰이 생각해보면 어떤 용도의 부동산인가에 따라 반드시 특정 원칙이 공식처럼 적용되는 것은 아니다.

예산이 빠듯한 예비 건물주가 강남의 상가인가, 아니면 강북이나 수도권의 빌딩을 택할 것인가 조언을 구한다면, 필자는 강남의 상가보다 강북이나 수도권의 빌딩을 추천해주고 싶다. 물론 이 역시도 세부적인 입지와 건물 자체의 상태에 따라 변수가 따르겠지만 말이다.

꿈은 갓물주, 현실은 빌딩푸어

강남은 대부분의 수익형 부동산 가격이 천정부지로 치솟고 있다. 특히 중소형 빌딩의 경우 안정성이 담보되는 우량자산으로 여겨지며 단기간에 가격이 급등해 상대적으로 임대료 상승분이 이를 따라가지 못하고 있는 형국이다. 2017년도 임대수익률이 평균 연 4%대였다면 2021년에는 통상 2%대 미만이다. 이는 곧 건물 매입 후 대출 금리는 높아지는 반면, 임대수익은 이에 상응하지 못해 대출이자 메꾸기도 막막한 마이너스 수익률이 되는 경우가 다반사라는 이야기다.

예를 들어 자기자본금 10억 원에 40억 원의 부동산담보 대출을 받아 월 833만 원(연 2.5%, 연 1억 원)을 이자로 지출하는 50억 원짜리 건물이 있다고 해보자. 상가건물인 이 빌딩은 강남 소재지로 월 임대수익은 1,250만 원(연 3%, 연 1억 5천만 원)이다. 그런데 만일 3.5%로 대출 금리가 1%만 올라가도 월 1,167만 원(연 1억 4천만 원)을 은행 이자로 내야 한다. 그렇게 되면 대출이자를 뺀 나머지 금액이 90만 원(1,250만 원-1,167만 원)도 채 되지 않는다. 여기에 각종 세금 및 건물 유지관리비까지 나가게 되면 오히려 마이너스인 셈이다. 물론 이런 상황을 감당할 수 있을 정도로 여유가 있다면 부동산의 미래가치를 보고 투자할 수 있지만, 무리해서 투자가 이뤄졌다면 금리 상승에서 온 리스크로 인해 자금난에 허덕이는 상황에 직면할 수 있다. 이럴 경우에는 오히려 지가 상승에 대한 기대치는 낮더라도 건물 자체의 규모가 크고 월 수익이 보장되는 빌딩에 투자하는 게 더 낫다.

상가야말로 저점이 적기?!

그렇다면 시장이 침체된 시기에 상가는 무조건 피하는 게 능사일까? 모든 투자에 있어서 언제나 예외는 있기 마련이다. 즉, 부동산 시장에서도 무조건의 법칙은 성립하지 않는다. 흔히 수익형 부동산을 언급할 때 상가라고 하면 건물 전체의 용도가 근린생활시설로 된 통상가와 최근 주목받고 있는 꼬마빌딩인 상가주택, 그리고 분양받은 점포로서 상인들에게 세를 놓는 구분상가를 모두 뭉뚱그려서 이해하는 경우가 많은데, 층이나 호와 같이 일정 규모별로 구분등기가 가능한 구분상가의 경우 통상가나 주택형 꼬마빌딩에 비해 상대적으로 경기를 덜 타는 입지에 자리한 매물들이 많다. 아파트 단지 내 상가들이 대표적이다. 신규 분양한 아파트보다 오래된 아파트 위주로 자리 잡은 상가들의 매물이 수익에 있어서 등락 폭이 작다.

이러한 구분상가는 땅값 상승에 의한 시세차익을 기대할 수는 없지만, 은퇴 후 생활비에 초점을 맞춰 안정적인 소득을 우선시하는 사람들에게 1순위로 꼽힌다. 월세만 제대로 받는다면 여타 골치 아픈 부분은 관리사무소가 해결해주고, 직접 세입자를 상대하지 않고도 일을 처리할 수 있다는 간편함이 있다. 주택이 아니어서 다주택자의 양도세 중과 부담에서 벗어날 수 있다는 점도 구분상가가 사람들의 관심을 받는 요인 중 하나다.

그러므로 구분상가는 코로나19로 매물이 많아지고, 가격이 내려간 현시점이야말로 누군가에게는 매수에 적기일 수 있다. 건물 자체의 시세차익은 차치하더라도 업종을 잘 선택해서 싸게 매입한 후 높은 수익을 기대할 수 있는 타이밍이기 때문이다.

돌다리 두드리기

모든 경제는 금리로 시작해 금리로 끝난다

2021년 10월 4일 미국의 연방준비제도(이하 연준)는 11월부터 통화정책의 방향을 긴축으로 트는 테이퍼링tapering(자산 매입 축소) 착수를 공식 선언했다. 코로나19 사태 이후부터 경기 부양을 위해 매달 1,200억 달러 규모의 채권을 사들이는 방식으로 시중에 돈을 풀었던 연준이 올해 11월을 기점으로 매달 150억 달러씩 줄여나가겠다고 한다. 150억 달러씩 계속 줄여나가면 연준의 채권 매입을 통한 '돈 풀기'는 내년 6월에 종료된다. 이 말은, 즉 내년 6월 이후부터는 현재 제로 수준의 금리를 인상하는 게 가능하다는 이야기다. 통상적으로 미국 금리가 인상되면 한국 금리 역시 인상되게 되며 대출로 매입한 부동산에 대한 가치와 수익률은 급격히 떨어지게 된다. 역으로 그사이를 노릴 수 있는 팁이라면 그럼에도 불구하고 연준은 1년에 분기마다 최대 0.25% 인상만이 적용되며 한국까지 영향을 받는 데에 시기적으로 아직은 먼 미래다. 또한 그 기간 안에 시중에 풀린 많은 자금으로 인해 당분간 부동산 가격은 더욱 상승할 것으로 예측된다.

빌딩 간접투자의 허와 실

연 5% 월세 수입만 따박따박 받을 수 있는 빌딩 투자가 있다?!

이제 투자를 배제하고는 도저히 평범한 사람들이 성실히 일해서 번 돈이 물가를 비롯해 삶을 영위하기 위해 필요한 여타 제반 비용의 상승률과 발을 맞출 수 없는 시대다. 그러다 보니 "커피값 한 잔에 건물주가 될 수 있다"는 얼핏 봐서 혹하는 광고 문구들도 생겨나고 있다. 낚시(?)를 위한 과장이 짙은 문구임이 틀림없지만 근접한 방법이 아예 없는 것은 아니다. 건물을 매입하는 건물주가 된다는 것은 큰 목돈이 투입되는 일인 만큼 자산이 부족하면 부족한 만큼 미지의 영역과도 같고, 자산이 빠듯하면 빠듯한 대로 신중에 신중을 거듭할 수밖에 없다. 부동산 투자에 관심은 있지만 직접투자는 왠지 겁도 나고 망설여진다면 대안적인 방법으로 수익형 부동산의 세계를 경험해볼 수 있는 간접투자의 방법들이 있다.

'배당수익+매각차익'을 그대 품 안에, 펀드

투자 전문기관이 일반 투자자들로부터 돈을 모아 증권투자를 하고 여기서 올린 수익을 다시 투자자에게 나눠주는 '펀드'는 대중적인 투자 상품 중 하나다. 그중 부동산 펀드는 금융업체가 투자자들의 자금으로 부동산을 매입해서 임대수익을 배분하고 만기 때 부동산을 처분해서 시세차익을 나눠 주는 시스템이다.

2004년 처음 도입된 국내 부동산 펀드 시장의 대부분은 사모 방식으로 특정 사람들만 참여하는 형태를 띠었다. 그래서 개인이 참여할 수 없는 시장이라는 인식이 생겨 일반인들의 진입장벽이 높았고, 그 때문인지 아직 크게 활성화되지 못했다. 투자 기간이 최소 3~7년으로 투자금이 장기간 묶이고 중도환매가 불가능해 환금성이 떨어진다는 점도 약점으로 꼽혀왔다.

하지만 2021년 10월 자본시장법과 하위법령 개정으로 사모

펀드 제도가 개편됐다. 그간 '운용 목적'에 따라 '전문투자형'과 '경영참여형'으로 나뉘어 동일한 투자자 범위에서 일반투자자가 전문투자자 못지않은 리스크를 안아야 했지만, 이제 투자자 중심의 '일반용'과 '기관 전용'으로 분류됨으로써 일반투자자에 대한 투자자 보호가 강화됐다. 또한 운용 규제는 완화하고 투자자 수는 이전 '49인 이하'에서 '100인 이하'로 확대되어 사모펀드의 운용 효율성이 보다 높아졌다.

'배당수익+시세차익+매각차익+개발이익'을 기대하며, 리츠

강남대로와 테헤란로의 교차지점인 강남역 사거리의 랜드마크인 삼성물산 서초타워(현 더에셋강남)의 주인은 누구일까? 국내 부동산 투자와 자산관리전문업체 코람코자산신탁은 2018년 9월 '코크렙 43호 위탁관리부동산투자회사(코크렙 43호 리츠)'를 설립해 삼성물산으로부터 서초사옥을 7,484억 원에 매입했다. 이 건물은 지하 7층~지상 32층, 전체면적 81,117㎡로 매매가격이 처음으로 3.3㎡당 3천만 원을 넘어서며 당시 국내 오피스 거래 사상 최고가를 기록했다.

리츠REITs, Real Estate Investment Trust(부동산투자신탁)는 부동산에 투자하는 '회사의 주식이나 지분을 사는' 간접적인 부동산 투자

삼성물산은 전체면적 81,117㎡의 서초사옥을 2018년 7,484억 원에 매각했다. 이를 사들인 코람코자산신탁은 코크렙 43호 리츠를 통해 이를 매입했다.

방식이다. 부동산 펀드가 자본시장법에 따라 금융위원회에서 관리하는 금융상품이라면, 리츠는 부동산투자회사법에 의해 국토교통부의 인가를 필요로 한다. 또한 펀드는 1개 펀드에서 투자하는 대상이 한정되어 있고 주로 상업용이나 업무용 부동산의 임대수익을 근간으로 운영되지만, 리츠는 부동산과 관련된 모든 상품에 투자하며 투자 물건을 얼마든지 늘리거나 줄일 수 있다. 주식처럼 자유롭게 사고팔며 분산투자가 가능하고, 펀드 대비 진입장벽이 거의 없다.

국내에서는 2000년에 처음 도입되어 투자사가 부동산에 투자 후 발생하는 임대수익, 매각차익, 개발수익 등을 배당받게 되는데 해당 기업은 총자산의 70% 이상을 부동산 자산에 투자하며 순수익의 7%를 부동산 임대료, 모기지론 이자, 매매차익 등에서 확보하고, 일반적으로 배당가능이익의 90% 이상을 투자자에게 배당해 투자자 몫이 높은 편이다.

리츠는 부동산을 구매해서 임대수익을 거두는 직접투자와 비교해서 다음과 같은 다섯 가지 장점이 있다.

첫째, 소액투자가 가능해 목돈이 필요 없다.
둘째, 배당소득세를 제외하고는 소유세, 부가세, 보유세 등 건물주가 기본적으로 부담해야 하는 복잡한 세금으로부터 자유롭다.
셋째, 숙련된 전문가가 자산을 운용해준다.
넷째, 원하는 시점에 매매가 가능해 환금성이 좋다.
다섯째, 세입자와 겪을 수 있는 관리의 부담이 없다.

그 외에도 공실에 대한 부담이 전혀 없는 것은 아니지만 투자사 대부분이 복수의 부동산 포트폴리오로 구성되어 있어 분산투자 효과로 공실 리스크를 낮게 가져가면서 배당수익을 추구할 수 있다. 또한 직접투자의 경우 부동산을 매각할 때 얻는 시세차익이 있다면, 리츠에서는 주가 상승이 이에 견줄 만한 기대수익이라고 할 수 있다. 리츠에서 주가가 상승한다는 것은 곧 리츠가 보유하고 있는 부동산 포트폴리오의 가치가 상승한다는 것으로 소액투자가 가능하면서도 전문자산관리업체에 위탁되어 있어서 모니터링만 잘하면 되는 간편성이 있다.

하지만 리츠 역시 아직 국내 시장에서 안정적으로 뿌리내린 시스템은 아니다. 국내에서는 2001년 IMF 외환위기 이후 국내 기업들의 구조조정을 돕기 위해 도입된 제도로 상장 리츠 시장이 커지면서 점차 개인투자자들의 부동산 대체 투자 수단으로 자리 잡아 가고 있는 단계로, 상장되어 있는 리츠는 10여 개에 불과하다. 주요 투자대상이 오피스나 쇼핑몰 같은 전통적인 부동산에 국한되어 있고 공모리츠의 개수 또한 너무 적다. 이는 사모 형태의 리츠가 대다수라 개개인의 리츠 정보에 대한 접근성이 떨어진다는 것을 의미한다. 현재 리츠를 운용하는 회사 리스트를 확인하고 싶다면 정부에서 운영하는 리츠정보시스템http://reits.molit.go.kr/main/main/openMain.do을 참고하길 바란다.

리츠 시장에서 주목할 만한 부분은 정부가 2019년 9.11 정책에서 공모리츠에만 세제 혜택 등을 부여하는 등 실물 부동산을 사모리츠가 사는 게 아니라 공모리츠를 만들어 샀을 때 더 큰 혜택을 주는 공모리츠 활성화 계획을 발표하는 등 지속적으로 규제 개선, 인센티브 등을 약속하고 있어 향후 공모리츠가 확산세를 보일 것이라는 전망이다.

또 하나의 팁이 있다면 해외에는 이미 리츠 시장이 활성화되어 있으므로 글로벌 리츠를 시작해볼 수 있다. 흔히 부동산 투자라고 할 때 일반인들이 접근 가능한 부분부터 범위를 확장해보면 아파트, 빌딩, 오피스, 소매용 부동산, 숙박업소 등을 떠올리지만 리츠는 여기에서 더 범위를 넓혀 물류 인프라, 통신 인프라, 데이터 센터 등으로 다양화할 수 있다. 특히 미국, 싱가포르, 홍콩, 유럽 등 여러 국가의 부동산에 손쉽게 투자해볼 수 있다.

예를 들어 미국의 4차 산업과 관련한 인프라 리츠들이 고속 성장세를 이어가고 있는데, 2020년 1~8월 기준 미국 리츠 시장에서 가장 높은 수익률을 달성한 자산군은 데이터 센터로 무려 32%에 가까운 수익률을 기록했다. 언택트untact(비대면, 비접촉) 시대, 바꿔 말하면 디지털 콘택트digital contact 시대가 자리 잡으면서 온라인으로 이뤄지는 쇼핑, 레저, 클라우드 서버, 5G 통신에 대한 사용량이 증가해 이들 서비스를 제공하는 데 필요한 부동산, 즉 디지털 인프라에 해당하는 부동산 수요가 상승세를 이어가고 있다. 산업혁명기에 가장 먼저 돈을 많이 벌고 성장했던 산업이 철도회사였듯 언택트 경제의 흐름에 올라탄 수익형 부동산은 데이터 센터, 통신 타워, 냉동창고, 하이테크 건축물 등이라 할 수 있다.

하지만 국내외를 막론하고 리츠가 가지는 리스크 또한 무시할 수 없다. 첫째도 금리, 둘째도 금리의 변동이다. 금리가 상승하면 당연히 채권수익률(채권이자율)이 상승하고, 상대적으로

세계 리츠 시장에서 높은 수익률을 올리고 있는 네 가지 리츠 군

5G 통신 인프라 리츠	5세대 이동통신인 5G 관련 첨단 산업을 아우르는 신新 인프라
데이터 센터 리츠	디지털 플랫폼
이커머스 물류리츠	위드 코로나, 포스트 코로나 시대 온라인 소비 트렌드화
비즈니스 클러스터	비즈니스 시너지를 위한 요지의 개념

배당수익률은 하락한다. 시장 금리가 상승하면 리츠의 수익률은 하락할 뿐 아니라 해당 리츠가 높은 부채비율을 유지하고 있을 경우 금리 상승의 상황에서 변동 금리에 노출된 부채들은 연간 지급해야 하는 이자 비용이 그만큼 상승하는 만큼 파산의 위험성이 높아진다.

'배당수익+시세차익+매각차익'으로 건물주? 조각 투자 DABS

2021년 가상화폐와도 같은 수익형 부동산의 조각 투자 방식이 혜성처럼 등장했다. 바로 디지털 자산 유동화 증권, DABSDigital

Asset Backed Securities다. 앞에서 언급한 것처럼 대형 상업용 부동산은 지금껏 폐쇄적인 정보의 유통과 거래로 투자자, 투자사, 자산운용사, 증권사 등 몇몇 대형기관에 한해 거래가 이뤄져 왔다. DABS는 이러한 과점 시장이 가진 비경제적, 비효율적인 측면을 없애고 개인의 상업용 부동산 시장 참여를 유도하고자 등장한 건물 수익증권으로 엄밀히 말하면 부동산의 소유권 지분이 아닌, 부동산의 수익 지분을 토큰화한 부동산 수익증권이다.

국내 최초의 디지털 수익증권 거래 플랫폼인 카사코리아는 기업을 증권거래소에 상장시키는 것처럼 빌딩을 플랫폼에 상장시켜 투자할 수 있게 했다. 1DABS(1주)는 5천 원으로, 5천 원을 투자하면 건물의 수익증권 1주를 갖게 되는 개념이다. DABS에서 수익이 발생하는 원리는 '처분신탁'이다. 빌딩 소유주(매도자이자 신탁자)가 신탁사와 처분신탁 계약을 맺으면 해당 빌딩의 소유권은 신탁사로 넘어간다. 신탁사는 제3자(매수자)에게 빌딩을 처분(매각)한 뒤, 여기서 얻은 수익에서 수수료로 떼고 남은 금액을 빌딩 주인에게 되돌려준다. 이 과정에서 신탁사는 처분 수익권을 기반으로 DABS라는 증권을 발행하여 이를 각 개인에게 판매하는데, 쉽게 말해 미래에 얻게 될 빌딩 처분 수익권을 기반으로 증권을 발행하고 이 증권을 매입한 개인들의 자금을 합쳐서 빌딩을 매입하는 것이다. 신탁사 고유의 자금으로 빌딩을 매입하는 것이 아니라 DABS를 판매한 자금으로 빌딩을 매입하기 때문에 빌딩의 소유주는 DABS를 구매한 각 개인이라고 해도 전혀 틀린 말은 아니다. 이 과정에서 신탁사는 임대수익을 투자자들에게 증권 보유량에 따라 분기별로 정기 배당금을 지급하게 된다. 지금까지 카사와 계약한 신탁사는 KEB하나은행, KB국민은행, 신한금융투자, 한국자산신탁, 한국토지신탁, 코람코자산신탁, 가람감정평가법인, 중앙감정평가법인, 티오라, 안랩 등이다.

거래 방식이 리츠와 유사하지만, 리츠는 명목상 주식회사의 지분인 주식stock이라면, DABS는 단순 증권security이다. 또한 리츠는 여러 부동산 자산을 소유하고 있으나 DABS는 단일 부동산에 대한 처분 수익권 지분이기 때문에 특정한 단일 빌딩에 투자한다고 볼 수 있다. 리츠는 특성상 자산의 처분보다는 장기적으로 배당 이익을 얻는 방식에 무게감이 실려 있고 보유 자산이 여러 채일 경우가 많아 그중 1개의 부동산을 매각한다고 해서 수익률에 큰 변화가 생기지 않는 반면, DABS는 단일 빌딩이라 리츠보다 매각차익을 더 적극적으로 추구할 수 있다. 그래서 DABS는 임대수익보다 매각 시 시세차익을 목표로 하는 게 적합하다.

다만, 이제 시작단계인 만큼 DABS의 기초자산은 꼬마빌딩의 규모로 짧게는 1년, 길게는 3~4년 후를 매각 타이밍으로 본다. 투자를 할 때 3~4년 후 해당 빌딩의 시세차익을 예상하고 투자에 나서야 한다는 의미다. 게다가 리츠는 4~5% 배당수익률이 나오는 데 비해 카사의 배당수익률은 2021년 7월 공모를 시작

출처: 카사

카사의 1호 역삼 런던빌과 2호 서초 지웰타워에 이어 세 번째 공모 상장 빌딩인 역삼의 '한국기술센터'도 청약 당일 완판을 기록했다.

한 카사코리아의 1호 자산인 역삼 런던빌의 경우 3~4%에 불과하다. 크지 않은 꼬마빌딩의 규모에서 플랫폼이 거래세 개념으로 제하는 수수료까지 뺀 후에 애초 임대수익에 건물 시세와 수익증권의 가치 상승까지 더해 연 8~10% 정도로 잡았던 목표수익률에 도달할 수 있을지는 앞으로 더 지켜볼 필요가 있다.

빌딩 간접투자의 종류

	펀드	리츠	DABS
형태	소수 투자자들의 자금을 모아 부동산에 투자하는 금융상품	부동산에 투자하는 회사의 주식이나 지분을 매입	부동산의 수익지분을 토큰화한 수익증권
수익구조	장기적 배당수익 +매각차익	장기적 배당수익+시세차익 +매각차익+개발이익	단기적(3~4년) 배당수익+ 시세차익+매각차익
장점	전문가의 도움을 받아 소액투자 가능	뛰어난 환금성, 유동성 소액투자 가능 간소한 세금 해외 부동산 투자 가능	단기적, 적극적으로 매각차익 실현
단점	투자대상 한정 환금성, 유동성에 취약 전문가의 운용 실적에 따라 손해 볼 수 있음	금리에 민감 좁은 국내 시장	아직 시작단계로 꼬마빌딩에 한정된 낮은 수익률과 높은 수수료
관리기관	금융위원회	국토교통부	금융위원회

돌다리 두드리기

조각 투자는 원금을 보장하지 않는다

부동산이나 관련 업체의 지분을 투자하는 부동산 간접투자는 진입 문턱이 쉽고 간편한 만큼 원금이 보장되지 않는다는 위험성을 안고 있다. 수중에 20억 원이 있다. 간접투자가 나을까? 빌딩매입이 나을까? 당연히 빌딩 매입이다.

기대수익이 나지 않더라도 기댈 수 있는 플랜B?!

1982년 문을 연 강남의 첫 특급호텔 쉐라톤 서울 팔래스 강남 호텔이 2021년 1월 31일, 40년 만에 폐업을 알렸다. 코로나19로 인한 매출 감소와 영업손실 증가라는 직격탄을 맞고 영업을 종료하게 된 것이다. 이후 이를 인수한 부동산개발업체가 고급주거시설로 재탄생할 예정임을 발표해 귀추가 주목된다.

코로나19로 인해 40년 만에 문을 닫은 쉐라톤 서울 팔래스 강남 호텔은 부동산개발업체가 이를 인수해 고급주거시설로 재탄생할 예정이다.

출처: 쉐라톤 서울 팔래스 강남 호텔

쩐을 부르는 컨버전

건물이 수익 창출을 위해 기존의 용도를 과감히 포기하고 처음 개발 허가를 받은 목적과 완성된 이후의 목적을 달리하는 부동산 전략을 전문용어로 '컨버전conversion(용도 전환)'이라고 한다. 흔히 조물주 아래 갓물주라 일컬어지는 요즘이지만, 갓물주 가운데에서도 한발씩 앞서가며 흐름을 리드하는 갓 오브 갓물주가 있기 마련이다. 대부분 전문 개발업자들이 이에 해당하지만 시시각각 격변하는 시장의 변화무쌍한 흐름 속에서 시장을 개척해나가는 이들 '디벨로퍼'의 행보를 알아두면 부동산이 시장에서 흘러가는 방향성을 배울 수 있다.

그리 멀지 않은, 최근 우리나라의 역사와 함께한 컨버전 사례를 살펴보면 IMF 이후 내수 활성화 방안으로 범국가적인 차원에서 벤처창업 지원이 확대되는 이른바 벤처 광풍에 오피스 시장이 급성장했다. 특히 주거와 업무가 가능한 오피스텔에 대한 수요가 급증하면서 본래 추진했던 용도가 오피스에 해당하지 않았음에도 용도를 급선회해서 개발하는 사례들이 생겨났다. 대표적으로 유진관광호텔이 있다. 이 건물은 공사 중에 매각돼 최종적으로 오피스빌딩으로 준공 완료해 서울 파이낸스 센터SFC가 됐다. 1988년 서울올림픽을 앞두고 대형 호텔로 공사를 시작했던 10층 규모의 호텔은 사업자 유진관광의 비리와 자금난 등으로 공사가 지연되다 추후 롯데관광이 인수한 후 호텔에서 업무시설로 용도를 변경, 최종적으로는 싱가포르투자청이 인수·완공해 도심 속 흉물에서 랜드마크로 자리매김하게 됐다.

문제는 너도나도 오피스 호황기에 편승하다 보면 과잉공급의 시대가 오기 마련이다. 이후 오피스형 빌딩의 수익성 폭락과 공실률 급증의 시기가 찾아오게 되는데, 그즈음 한류 열기가 불을 지펴 관광객의 수요가 급증하게 된다. 때는 바로 지금이다. 판단력이 빠른 갓 오브 갓물주들은 앞다퉈서 오피스빌딩을 숙박형으로 컨버전했는데, 광화문의 솔라리아니 호텔(2011), 신라스테이 광화문(2012), 티마크 호텔(2012), 나인트리 호텔(2012), 포시즌스 호텔 서울(2013) 등이 대표적이다.

하지만 2016년 7월 사드THAAD, Terminal High Altitude Area Defense 배치 결정 이후 중국의 보복으로 한한령(중국 내 한류 금지 명령)이 시작되면서 직격탄을 맞은 업계는 경기 불황, 관광객 급감, 상업형 부동산 침체, 오피스 임차 수요 감소의 시기와 맞닥뜨리게 되자 임대료 부담에서 상대적으로 자유로운 위워크, 패스트파이브 등의 '공유오피스'와 대한민국의 실리콘밸리를 목표로 근로자의 편의성을 최대한 살린 형태로 개발된 판교 테크노밸리와 같은 '지식산업센터'에 대한 수요와 공급이 폭증하게 됐다.

위드 코로나 시대, 발 빠른 컨버전 행보

그렇다면 코로나19의 위기 속 포스트 코로나 시대에 대비하기 위한 위드with 코로나 시대에 부동산 시장의 흐름은 어떻게 흘러가고 있을까? 호텔 등 숙박형 부동산과 인간 생활의 필수품인 의식주 관련한 오프라인 점포들이 위치한 리테일 상가형 부동산은 비대면 생활이 일상화되면서 곳곳에서 위기일발 언제 꺼질지 모르는 바람 앞의 등불과도 같은 풍전등화 격의 고난의 시기를 맞게 된 반면, 반사적으로 폭증한 배송 서비스는 퀵커머스 시대를 열며

국내 컨버전 진행 추이(2021년 기준)

호텔 부지	주거용 예정	• 반포 쉐라톤 팔래스, 이태원 크라운 관광호텔, 강남 르메르디앙(옛 리츠칼튼)
	오피스 예정	• 남산 밀레니엄 힐튼
상업·공장 부지	오피스텔	• 과천 미래에셋대우 연수원 → 힐스테이트 과천 중앙오피스텔(2022년 9월 입주 예정) • NC백화점 평촌점 → 힐스테이트 범계역 모비우스(2021년 7월 준공 완료) • 삼성 SDS → 힐스테이트 과천청사역(2025년 9월 입주 예정)
	복합단지	• 여의도 MBC 부지 → 브라이튼 여의도(2023년 4월 입주 예정)
	지식산업센터	• 성수동 아남반도체 부지 → 생각공장 데시앙 플렉스(2020년 4월 준공 완료)

물류 센터와 오피스빌딩에 대한 매입 경쟁이 치열해지고 있다.

가까운 예로 옛 삼성 SDS 부지에 들어설 예정(2025년 9월 준공 완료)인 오피스텔 '힐스테이트 과천청사역'의 경우 얼마 전인 2021년 10월에 있었던 분양 현장에 실거주 목적에 더해 차익을 기대하는 투자자들까지 몰려 경찰차가 출동하는 등 분양 시장의 뜨거운 감자로 떠올랐다. 총 89실 모집에 12만 4,426명이 청약을 신청했고, 경쟁률은 무려 1,398대 1로 역대 오피스텔 경쟁률 가운데 가장 높은 수치를 기록했다. '준강남'이라고 일컬어지는 과

천이라는 입지적인 장점도 있지만, 100실 미만이라 전매 제한이 없고, 주택법이 아닌 건축법을 적용받아 청약 통장이 필요 없다는 점, 특히 대한민국에 거주하는 만 19세 이상이라면 누구에게나 청약 자격이 주어져 많은 사람들의 관심을 받았다. 이처럼 최근 높은 경쟁률을 기록하고 있는 오피스텔들의 공통점은 '비주택 상품으로 아파트에 비해 규제가 덜하다는 점'이다. 용도변경 사례는 아니지만 비슷한 시기에 청약을 시작한 '신길 AK 푸르지오' 역시 78㎡의 분양가가 9억 7천~9억 9천만 원 선에 달하는 등 오피스텔 분양가가 아파트보다 더 높은 곳도 속출하고 있다.

연이어 폐업을 발표한 대형 호텔들 역시 1~2인 가구 수요가 급증하고 있는 세태와 지하철 등 교통제반 시설이 잘 갖춰진 입지적 장점 등으로 고급주거시설의 용도변경 컨버전을 추진하고, 개발 계획을 전해 앞으로 하이엔드high-end를 지향하는 고급주거시설의 등장과 이에 따른 양극화 현상은 한층 극대화될 전망이다.

개인 단위의 컨버젼 매뉴얼

컨버전 전략은 꼭 전문 시행사 단위로 움직이는 대규모 단지나 고급빌딩에만 주효한 전략은 아니다. 입지 좋고 수요가 두터운 권역 내 낡고 오래된 건물, 특히 용적률에 여유가 있어서 증·개축이 가능한 물건들은 매입한 뒤 주거용 오피스텔, 임대주택 등으로 용도를 전환, 개발하고자 하는 목적으로도 수요가 꾸준했다.

하지만 최근 몇 년 새 정부의 급변하는 부동산 정책으로 인해 주택을 소유한 건물주들이 주택을 근린생활시설로 용도를 변경하는 사례들이 늘어났다. 다주택자의 경우 각종 세금으로 인해 주택을 팔기도 보유하기도 부담스러운 궁지에 몰리게 됐기 때문이다. 특히 꼬마빌딩과 같은 오래된 상가주택에 있는 주택의 경우 임대 부진과 세금 부담으로 인해 상가 또는 사무실 임대를 고려해 제2종 근린생활시설로 용도변경하는 사례가 많은데 절차와 방법이 까다롭고 건축도면이 필요하기 때문에 건축사무소를 통해 진행하는 것을 추천한다. 기본적인 절차는 다음과 같다.

1. 건축물대장, 등본, 초본, 매매계약 당시 받은 확인 설명서를 통해 건물이 어떤 종류의 건축물인지, 용도는 무엇인지 파악하기
2. 변경하고자 하는 건축물의 용도가 신고해야 하는 대상인지, 허가받아야 하는 대상인지 체크하기
3. 내진설계 기준에 부합하는지, 피난시설과 계단, 법정 주차대수 등이 적합한지 등 변경하고자 하는 용도의 건축기준 및 관계 법령에 제한사항은 없는지 확인하기

4. 자동차 관련, 산업, 전기통신, 문화 집회, 영업, 교육 및 복지, 근린생활, 주거업무, 기타 시설군에 따른 세부 용도 확인하기
5. 이에 따라 변경을 위한 신고, 허가 등의 절차와 필요 서류 준비하기

건물의 용도를 변경(신축, 이전)할 때는 기본적으로 해당 관청에 신고 또는 허가를 받아야 하며, 이때 건축법의 용도 분류에 따른 용도와 시설군이 정해지게 된다.

돌다리 두드리기

약자의 걸림돌이 강자에게는 디딤돌이다

틈새를 공략하면 누구라도 위기 속에서 기회를 만들어 자산의 가치를 높이는 지혜를 발휘할 수 있다. 매입 후가 아닌 컨버전을 고려해서 매물을 검색할 때는 임대수익률 증가보다 부동산 자체의 미래가치 상승을 통한 시세차익을 높이는 데 초점을 맞추기를 권한다. 아울러 투자에 앞서 지금 시장에서 '핫'한 '4차 산업의 인프라가 되는 부동산의 건물주'로 아예 목표를 구체화해보는 것도 단순 투자 이상의 멋진 목표가 될 수 있다.

지금은 탈 강남 시대,
고수가 주목한 그곳

'판'을 뒤흔드는 도시기본계획

서울시는 주택, 교통, 산업, 환경, 문화, 복지 등 다양한 부문별 계획을 하나로 통합해 조정하는 최상위 법정계획을 운영하고 있다. 일명 '서울형 도시기본계획'으로 지금까지 2000년, 2011년, 2020년, 2030년 네 차례에 걸쳐 도심계획을 수립했다.

서울도시기본계획은 우리나라 국토의 장기적인 발전 방향을 제시하는 '국토종합계획', 수도권 내 행정구역의 기능을 상호 연계하여 성장을 관리하는 '광역도시계획', 새로운 수도권의 비전과 발전 방향을 담아 수도권 정비에 관한 기본 사항을 담은 '수도권정비계획' 등 상위 계획과의 유기적인 연계를 고려하여 서울

2020 서울도시기본계획 vs 2030 서울플랜

<table>
<tr><th>2020 서울도시기본계획</th><th>2030 서울플랜</th></tr>
<tr><td>[1도심] 도심</td><td>[3도심] 한양도성, 영등포·여의도, 강남</td></tr>
<tr><td>[5부심] 용산, 청량리·왕십리, 상암·수색, 영등포, 영동</td><td>[7광역중심] 용산, 청량리·왕십리, 창동·상계, 상암·수색, 마곡, 가산·대림, 잠실</td></tr>
<tr><td>[11지역중심]
• 동북권: 망우, 미아, 상계
• 서북권: 신촌, 공덕, 연신내
• 서남권: 목동, 대림, 사당·남현
• 동남권: 잠실, 천호·길동</td><td rowspan="2">[12지역중심]
• 도심권: 동대문
• 동북권: 망우, 미아, 성수
• 서북권: 신촌, 마포·공덕, 연신내·불광
• 서남권: 목동, 봉천, 사당·이수
• 동남권: 수서·문정, 천호·길동</td></tr>
<tr><td>• 전략육성중심지: 망우, 상계, 연신내
• 전략육성지: 마곡, 문정</td></tr>
</table>

출처: 서울시

이 보유한 토지 및 자원의 집약적이고 효과적인 활용 방향을 제시하는 데 목적이 있다. 이 계획이 발표되면 이를 근간으로 지자체별로 도시기본계획을 유기적으로 업데이트하고 있어 전국의 과거-현재-미래의 개발 과정과 방향을 가늠할 수 있는, 부동산 시장의 흐름을 좌우하는 중요한 지표라고 할 수 있다.

현재(2021년 11월 기준, 이하 동일)는 2010년을 기준으로 20년 후인 2030년까지를 목표로 수립한 '2030 서울플랜'이 가동 중이

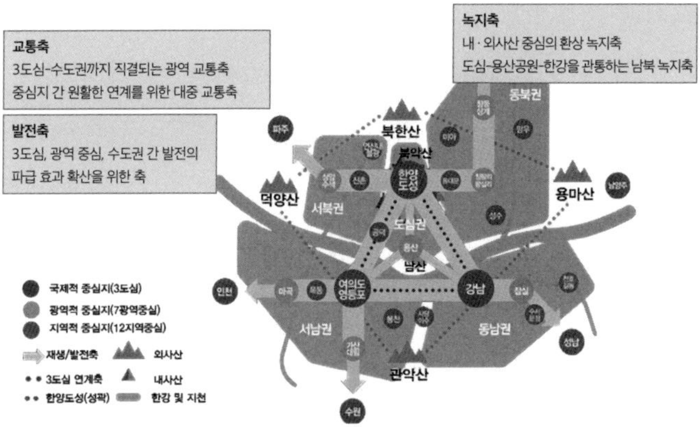

출처: 서울시

2030 서울플랜은 크게 교통축, 발전축, 녹지축으로 나눠 중심지 간의 연계 및 인접 도시와의 상생발전을 목표로 한다.

다. 여기서 핵심 이슈는 서울의 공간구조를 형성하는 기본요소인 중심지 체계의 개편안이다. 기존에 1도심, 5부도심, 11지역중심에서 3도심, 7광역중심, 12지역중심인 다핵多核의 기능적 체계로 변화했다. 현재 관련 지역들은 급물살을 타고 개발에 한창이며 2021년 말에는 '2040 서울플랜'이 발표될 예정이다.

부동산 시장을 들었다 놨다 하는 GTX

도로가 트이는 곳에 돈맥이 흐른다더니 3개 도심과 7개 광역중심지를 연결하겠다는 취지의 수도권 광역 급행 철도망GTX, Great Train Express 구축 사업은 발표 하나하나가 연일 뜨거운 감자다. 서울과 수도권의 집값이란 집값은 다 올려놓는다는 원성이 터져 나올 만큼 진행될 때마다 지역별 희비가 엇갈리고 있다. 확정 전부터 2021년 상반기 아파트값 누적 상승률 1위를 달성한 의왕시를 비롯한 GTX-C 인덕원역 인근의 안양시와 의왕시 아파트들은 단지 이름에 인덕원을 넣기 위해 고군분투 중이라는 '웃픈(웃기지만 슬픈)' 소식도 들려온다. 2021년 7월 기준으로 현재까지 발표된 GTX 노선 계획은 GTX-A 파주 운정-화성 동탄, GTX-B 인천 송도-남양주 마석, GTX-C 양주 덕정-수원, GTX-D 김포 장기-부천종합운동장이다.

다만, GTX 노선 계획 발표에 한 번, 착공 소식에 또 한 번, 이미 부동산 가격은 한껏 올랐다. 향후 계속 똑같은 비율로 오른다는 보장은 없다. 모든 호재가 부동산 가격에 반영되는 정도는 착공·완공·개통(개장) 시기에 따른 차이뿐 아니라 중도지연의 가능성도 높은 만큼 투자 전 다양한 상황에 대한 가정이 필요하다. 완공까지는 아직 갈 길이 멀다.

도심권의 핵폭풍, 데카르트 용산

"강남·북 균형 발전을 위해 용산을 개발해야 한다. '용산개발청'을 신설하고 용산링킹파크 추진단을 구성·운영하겠다. 용산은 강북 지역의 마지막 남은 가용 토지로 용산을 잘못 이용하면 서울을 획기적으로 바꿀 기회가 더는 없다. 지하 공간 활용 계획을 세웠는데, 핵심은 교통이다."

프랑스 파리의 '라데팡스La Défense' 개발 사례에서 얻은 아이디어로 10년짜리 계획이라는 오세훈 서울시장의 공약이다. 서울 강변북로와 동서남북 등 여섯 군데 간선도로에 대심도 터널* 을 파고, 용산민족공원 밑에는 로터리처럼 차량 회차가 가능하도록 4차선을 뚫어 서울의 교통 문제를 해결하겠다는 의지다. 지상은 빅데이터, AI, 블록체인 기술을 바탕으로 한 스타트업, 중견기업을 유치, 청년취업사관학교도 건립해 아시아의 실리콘밸리로 만들겠다는 구상이다. 일명 '데카르트 도시'로 '테크+아트tech+art', 즉 문화와 예술, 첨단기술이 조화를 이룬다는 의미다.

남산을 등지고 한강 변에 자리한 배산임수 지형으로 서울 최고의 명당으로 손꼽히는 용산은 미군기지(전체면적 265만 4천㎡) 이전과 서울시 한강 변 개발 등이 맞물려 노른자 중의 노른자다. '2030 서울플랜'을 근간으로 역사 도심인 한양도성 안에서 수용하기 어려운 고밀·고층의 대형 상업·업무시설 등을 흡수하며 한양도성 및 영등포·여의도와 연계한 국제기능 등 고차업무기능을 집적하겠다는 목표 아래 미군기지 이전에 따라 조성될 예정인 용산공원을 중심으로 좌측에는 국제업무지 조성사업이 진행되고 있고, 우측에는 고급주거단지로 대표될 한남뉴타운 사업이 한창이다.

---

* 지하 40㎡ 이상의 대심도에 터널을 만드는 것으로 국내 최초 대심도 터널은 GTX다. 교통수단을 지하 깊숙한 곳으로 내려 교통혼잡을 해소하기 위한 한 방법으로 꼽히고 있다.

한남재정비촉진구역: 한남뉴타운

현재 보광동, 한남동, 동빙고동 일대에서 진행되고 있는 한남뉴타운 사업은 강북에서 진행되는 정비 사업 중 가장 큰 규모의 도시 재정비 사업으로 총 5개 구역으로 시작했으나 1구역이 재정비촉진구역에서 해제돼 현재 2·3·4·5구역만 사업이 진행되고 있다.

중구, 성동구, 강남구, 서초구와 인접해 빼어난 입지를 자랑

출처: 국토정보맵

한남 1구역은 구청의 소극적 행정으로 공공재개발 후보지 선정에서 탈락해 한남재정비촉진지구는 2·3·4·5의 4개 구역이다.

하는 데다 최근 서울시가 아파트 가격 상승을 최대한 억제하겠다는 의지로 영등포구, 성동구, 양천구, 강남구 등 4곳 지역을 토지거래허가구역으로 지정해 한강 변을 끼고 있는 고급주택단지로 비슷한 이미지의 성수동이 토지거래허가구역으로 묶이면서 뜻밖의 반사이익까지 얻고 있다.

용산 공원 유엔사 부지 개발

'한국판 센트럴파크'로 불리는 용산민족공원은 주한미군 용산기지가 2017년 말까지 평택시 캠프 험프리스를 이전함에 따라 남는 공터를 공원으로 활용하기 위해 1조 2천억 원을 투입해 2019년부터 조성하기 시작했다. 2027년 완공을 목표로 단계적 공사가 진행 중으로 공원 동편의 유엔군사령부 부지는 1조 원이 넘는 초고가에 매각되어 주상복합단지와 호텔 등 상업시설 건립이 추진 중이다.

2021년 2월 '유엔사 터 복합개발사업'을 위한 환경영향평가 심의가 통과돼 이태원동 22-34 일대(5만 1,753m^2) 개발이 2022년 착공, 2024년 준공 예정이다. 이곳에는 아파트 420가구, 오피스텔 777실 등 총 1,197가구의 주거시설과 호텔, 업무시설, 판매 및 문화집회시설 등이 공존하는 지하 7층~지상 20층 규모의 주상

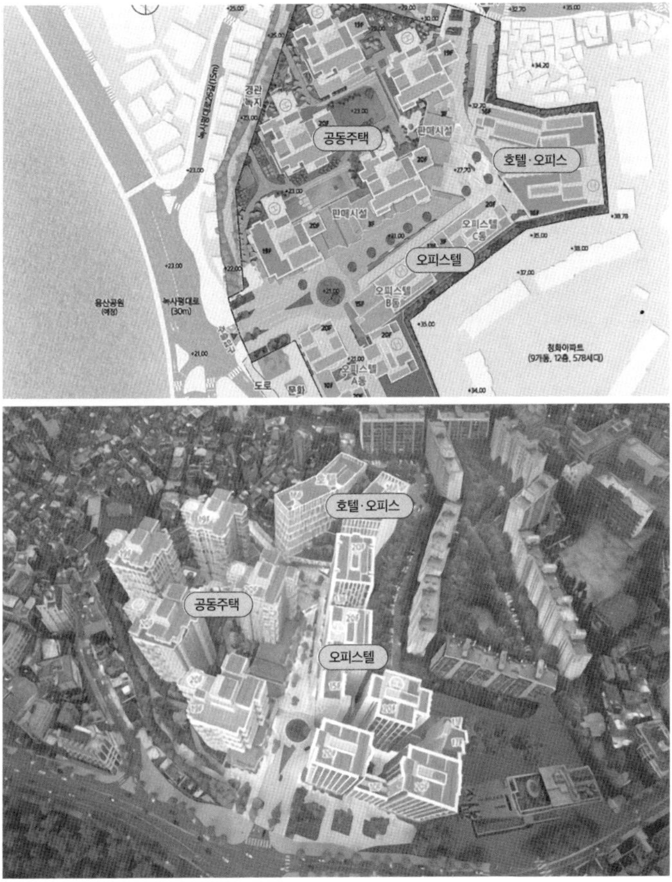

출처: 서울시

서울시가 발표한 용산 유엔사 부지 개발 위치도(위)와 조감도(아래)다. 서울시는 2021년 7월 유엔사 부지 복합개발사업 건축계획안을 통과시켰고, 2022년 착공에 들어가 2024년 준공 예정이다.

복합건물이 들어설 예정이다. 시행사인 일레븐건설은 약 2조 원을 투입해 일본 도쿄의 대표 복합단지인 롯폰기힐즈와 같은 도심 랜드마크로 만든다는 구상이다. 특히 이곳은 지하철 6호선 녹사평역에서 반포대교 방향으로 500m가량 용산민족공원을 지척에 두고 있고, 한남재정비구역과 이태원 상권, 한강공원 등과도 가까운 요지에 위치하고 있어 주목할 만하다.

뜨는 감성 상권 용리단길

지하철 4호선 신용산역에서 3호선 삼각지역까지 이어지는 '용리단길'은 요즘 떠오르는 신흥 감성 상권이다. 일제 강점기에 지어진 건물이 아직 남아 있을 정도로 낙후된 주거지 중 한 곳이었던 신용산역 1번 출구 앞 용산우체국 뒤편은 2017년 아모레퍼시픽 신사옥이 들어서면서 하나둘 식당과 카페가 생겨나기 시작했다. 2021년 2월에는 '2030 역세권 청년 주택'이 들어서고, 5월에는 BTS의 소속사 하이브가 입주하면서 젊은이들의 유입이 급증해 활기를 더하고 있다. 소위 용리단길이 위치한 한강로2가 일대는 지구단위계획으로 묶여 있는 주변 구역들과 달리 건물 신축이나 리모델링이 자유로운 편이라 빌딩 투자자들이 주목해야 하는 곳이다.

그렇다 보니 용리단길의 평당 호가가 1억 원에서 1.5억 원까지 올라 강남에 버금가는 수준이 됐다. ○리단길의 시초라고 할 수 있는 인접한 이태원 경리단길이 낙후된 구도심의 활성화로 부동산 시장에서 주목을 받았지만, 안타깝게도 지역 골목상권이 고급화되어 임대료가 상승하면서 오히려 원주민이 내몰리게 되는 젠트리피케이션gentrification을 겪어 상권이 무너져버렸다. 용리단길도 이를 경계할 필요가 있다. 더불어 재개발하는 신도시의 복제 현상을 지칭하며 라이프스타일에 지루함을 더하는 듀플리케이션duplication 현상도 골목상권과 건물의 가치를 떨어뜨리는 요인 중 하나로 제기되고 있다.

철길 따라 '베드타운' 안녕,
날개 단 동북권

서울시에서도 수도권 변방처럼 여겨지던 동북권이 새로운 광역 교통망 구축으로 각종 개발에 동력을 얻고 있다. 굳이 GTX가 아니더라도 KTX 동북부 연장(수서-청량리-창동-의정부)과 경전철 동북선, 면목선, 우이·신설 연장선 등 경전철 확충 사업이 동북권 각지에 교통 호재로 작용하고 있다. 왕십리역에서 미아사거리역을 거쳐 상계역을 잇는 동북선 경전철은 목표대로 2024년에 완공을 마치면 왕십리역에서 상계역까지 환승 없이 25분 만에 이동할 수 있게 된다. 현재는 지하철(2호선)로 이동하려면 동대문역사문화공원역에서 4호선으로 환승해 대략 40분 정도 걸린다.

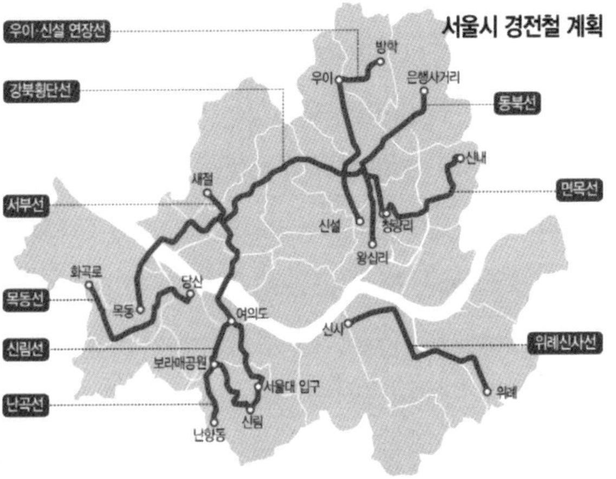

출처: 서울시

서울시 경전철 계획을 보면 경전철 동북선, 면목선, 우이·신설 연장선 등 경전철 확충 사업이 활발하게 진행될 예정이다. 교통 호재는 부동산 시장에서 가격 상승을 이끄는 중요 역할을 한다.

버스로 50분 이상 걸리던 미아사거리역에서 강남 선릉역까지도 왕십리역에서 분당선으로 환승이 가능해져 30분대로 접근할 수 있다.

GTX-C 따라 울고 웃는 청량리·왕십리

왕십리와 청량리는 지역 간 철도교통 및 환승역세권으로서의 잠재력으로 연일 부동산 가격이 상승 중이다. 동대문구 청량리동 일대 평균 아파트 시세는 2020년 6월 2,475만 원이었던 평당 가격이 1년 새 2,986만 원으로 급등했다.

왕십리역은 서울 지하철 2호선, 수인분당선, 경의중앙선, 경원선 등 4개 노선이 지나는 교통 중심지다. 여기에 당초 양주 덕정역에서 수원역까지 74.8km 구간에 창동, 광운대, 청량리, 삼성, 양재, 정부과천청사 등 10개 역을 설치하기로 한 GTX-C노선에 왕십리역, 인덕원역의 추가 신설 가능성이 커지면서 청량리역 인근의 주민들이 추가 신설 반대 현수막까지 내걸며 마찰을 빚고 있는 씁쓸한 형국이다. 청량리역에서 불과 2.3km 거리에 왕십리역이 신설되면 왕십리역보다 입지가 떨어진다고 평가받는 청량리역 인근의 집값 상승세가 꺾일지 모른다는 우려 때문이다.

전국 집값 상승률 1위, 상계

2021년 상반기 서울 아파트값 상승률 1위는 노원구다. 2021년 4월 서울시가 신규 지정한 토지거래허가구역(압구정, 여의도, 목동, 성수) 규제를 비껴가면서 상계 · 중계동 재건축 단지 중심으로 2020년 12월 이후 노원구 아파트 한 평당 평균 매매가격은 3,458만 원으로 1년 새 40% 가까이 상승했다. 심지어 25개 자치구 중

기존에 가격대가 더 높았던 종로구, 관악구, 구로구 등을 제치고 17번째로 높은 시세를 기록했다. 서울에서는 드물게 아파트값이 요지부동이라 불리던 노원, 도봉은 이제 옛말이다.

노원구에는 지어진 지 30년이 넘은 아파트가 39개 단지, 5만 9천 가구에 달하며 현재 23개 아파트 단지에서 재건축을 준비 중이다. 서울시 25개 자치구 중 가장 큰 규모다. 매입 세대 중 2030 세대의 매입 비중이 특히 높은 것으로 알려져 그간 서울의 '베드타운'으로 꼽히며 부동산 시장에서 인기가 덜했던 이들 지역에 젊은 세대의 유입이 늘어날 것으로 기대되고 있다.

경제기반형 도시재생활성화사업의 중심지, 창동

대대적인 재건축 열기와 맞물려 창동·상계는 현재 국비 지원 110억 원을 포함해 사업비 486억 원에 달하는 경제기반형 도시재생사업에 한창이다. 경제기반형은 도시재생사업 중 규모가 가장 큰 사업으로 국가 핵심 기능(산단, 항만, 공항 철도, 도로, 하천 등)의 정비·개발과 연계하여 도시에 새로운 기능을 부여하고 고용기반을 창출하는 사업이다.

첫 스타트로 서울 동북권의 청년 창업과 중장년 일자리 지원시설 '창동 아우르네'가 2020년 11월에 개관했고, 국내 첫 대중

음악 전문 공연장을 지향하는 5만 149㎡ 규모의 국내 최대 공연장인 '서울 아레나'가 2024년 완공 예정이다. 이와 더불어 생겨나게 될 300여 개의 문화예술 관련 기업을 수용하기 위해 만들어지는 창업 및 문화산업단지 '씨드큐브 창동'은 2019년 11월 착공해 2023년 5월 준공 예정이다. 307억 원 규모의 국내 최초 '로봇인공지능과학관'도 2021년 5월 착공했다. 이 건물은 지하 2층~지상 4층, 전체면적 7,186㎡ 규모로 2023년 완공 예정이며, 로봇과학관 옆에는 지하 2층~지상 4층, 전체면적 6,402㎡ 규모의 '서울사진미술관'이 들어선다.

창동역을 현대화하기 위해 계획된 '창동민자역사개발'도 2007년 첫 삽을 뜬 이후 잠시 중단됐다가 사업자를 바꿔 11년 만에 공사를 재개한다는 소식이다. 지하 2층~지상 10층, 전체면적 약 8만 7,293㎡ 규모에 복합 쇼핑몰 '아레나×스퀘어'와 환승센터, 역무시설이 함께 들어서며, 기타 다양한 문화·편의시설 조성으로 일대 지역민들의 편의성을 한층 높일 것으로 전망된다.

'베드타운'에서 벗어나 '자족도시'로서의 동북권을 지향하며 서울의 마지막 남은 대규모 개발 부지인 창동 차량기지에 노원의 100년 먹거리를 책임지겠다는 '바이오 메디컬 단지' 조성 계획 등 아직 첫 삽을 뜨지 못한 사업도 많다. 장기적인 시각에서 고용기반을 창출하겠다는 취지가 '달성이 되어야' 미래가치가 큰 폭으로 증가할 수 있는 만큼 개발 초기인 지금부터 덤비면 누가누

출처: 창동역사디오트

창동민자역사 아레나×스퀘어가 2021년 7월 홍보관을 열고 본격적인 계약에 들어갔다. 조감도에서도 보이듯이 루프탑에는 대규모 가든이 조성되고, 8~10층을 아우르는 실내정원 '아레나 가든' 등 방문객들에게 보다 쾌적한 여가 시간을 제공할 계획이다.

가 오래 버티는가의 싸움이 될 것이다. 인내심 없는 사람의 돈은 결국 인내심 있는 사람에게 흘러간다.

DMC 중심의 문화산업특화지역, 서북권

서울 서북권은 행정구역상으로 은평구, 서대문구, 마포구를 포함하며, 상암·수색 1개 광역중심지와 신촌, 마포·공덕, 연신내·불광의 3개 지역중심지가 있다. 중심업무지구인 광화문 일대까지 출퇴근이 나쁘지 않은 입지인 데다 일산, 장항 등 경기도 디지털방송문화 축을 연계하는 미래 디지털 방송의 혁신거점으로 각종 방송·엔터테인먼트 기업이 밀집한 상암 디지털미디어시티DMC 업무지구, 청년문화의 중심지 신촌·홍대 상권을 끼고 있어 이미 부동산 가치가 급상승한 권역 중 하나지만 각종 호재로 부동산 가치 상승이 기대되는 인접 도시들이 있어 주목해볼 필요가 있다.

수색-DMC 연계 수색역세권 개발사업

한강 축에서 경의 축이 갈라지는 교차점이자 남북교류의 결절점으로 인천국제공항으로의 접근성이 용이하다는 장점을 가지고 대규모 개발 가용지를 활용해 서북지역의 광역적 고용기반을 공고히 하겠다는 목표 아래 각종 개발이 한창이다. 오랫동안 은평구에 있었던 수색역 차량기지 부지와 철도 정비시설 부지 등을 이전하고 남은 땅은 쇼핑몰과 상업시설, 문화시설 등을 갖춘 복합문화 단지로 개발하겠다는 것이 핵심 사안이다. 다소 지지부진하긴 했지만, 롯데 상암몰-DMC역 복합개발 동시추진을 시작으로 속도를 낼 전망이다. 아직 인허가 절차가 일부 남았지만, 착공에 돌입하게 되면 이르면 2025년 운영을 예상해본다.

GTX-A/신분당선 호재, 연신내·불광

지하철 3호선 라인인 종로·중구나 지하철 6호선 라인인 상암DMC로 출퇴근하는 직장인이 머무는 베드타운 역할 외에 상대

출처: 서울시

수색역세권 개발 계획안(위)과 조감도(아래)다. 이 사업은 서울시와 코레일이 함께 지역 활성화를 위해 수색교부터 DMC역에 이르는 약 32만㎡ 부지다.

적으로 이렇다 할 이슈가 없었던 연신내와 불광은 2025년 예정인 신분당선 연장이 강남을 통과할 뿐 아니라 GTX-A노선이 지나게 되면서 투자가치가 급상승하며 도약에 한창이다.

파주 운정-연신내-서울역-삼성-수서-화성 동탄을 연결하는 GTX-A 노선은 빠르면 2023년 개통 예정이며, 여기에 용산-서울역-시청-상명대-독바위-은평뉴타운-삼송으로 이어지는 신분당선이 개통될 경우 삼송역에서 연신내역을 거쳐 삼성역까지 도달하는 데 35분 정도 걸린다. 기존 1시간 이상 소요되는 시간에서 절반가량 단축되는 것이다.

5개 노선 퀸터플 역세권, 마포·공덕

직장과 주거가 가까운 직주(직장과 주거지) 근접이 부동산 시장에서 흥행 키포인트로 떠오르는 가운데 공덕 일대는 서울에서도 오름폭이 가파른 곳 중 하나다. 그 이유는 서울 지하철 5·6호선과 경의중앙선, 공항철도가 만나는 서울에서도 희소성 있는 '쿼드러플quadruple 역세권'으로 2023년 신안산선까지 개통하면 공덕역은 무려 5개 노선을 품는 퀸터플quintuple이 된다.

마포로를 중심으로 주상복합 건물과 오피스빌딩이 빼곡히 들어선 대표적인 오피스 상권인 공덕역 일대 상권도 보다 확대될 전망이다. 지하철 5호선 마포역과 공덕역이 마포로를 통해 여의도까지 쭉 연결된 형태를 띠고 있기 때문에 향후 마포구 중심상권으로 자리매김하게 될 것으로 점쳐지고 있다.

마포·공덕 상권은 오피스와 주거가 혼재된 상권으로 비교적 불경기에도 영향을 덜 받는 편이다. 그래서 현재 상가건물은 없어서 못 판다는 말이 있을 정도로 안정적인 상권이다. 하지만 상권이 안정적이라는 말의 이면에는 없는 것 빼고는 다 있는 오래된 상권에 대부분의 업종 베테랑들이 포진해 있어 신규 창업자들이 뿌리내리기 쉽지 않다는 특징이 있다. 오래된 상권일수록 끼어들기가 더 어려운 법이다.

창조적 지식기반의 고용기능 확산지, 서남권

서남권은 '2030 서울플랜'에서 도심으로 편입된 영등포·여의도 도심의 글로벌 경제 거점으로서의 위상 강화를 위해 도심의 기능적 역할 분담 체계를 구축하는 형태로 진화 중이다. 글로벌 금융·업무 중심지 여의도-신산업과 상업·업무·문화 중심지 영등포-신성장산업, 일자리 기반의 광역중심지 가산·대림과 마곡 삼각편대를 발판으로 창조적 지식기반의 고용기능 확산에 앞장서겠다는 각오다.

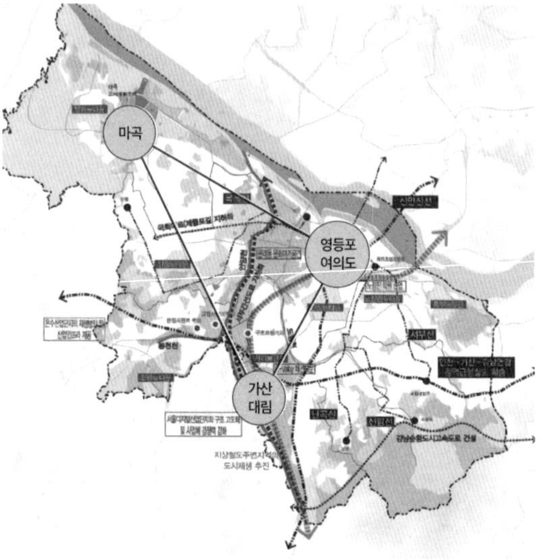

출처: 서울시

서울 서남권 발전은 영등포·여의도를 중심으로 마곡과 가산·대림 삼각편대를 이룰 예정이다.

서울은 이제 우 강남, 좌 여의도 시대

국제금융중심지 여의도·영등포는 20만여 명에 달하는 여의도 금융 및 방송사, 대기업 직장인과 15만여 명으로 추산되는 영등포 중심 상권 인근의 배후수요까지 더블수요를 누릴 수 있는 곳으로 사업비만 2조 6천억 원, 국내 투자은행IB 상업용 부동산개발 역사상 최대 규모의 사업이었다는 '파크원'이 2021년 개장하며 축포를 쏘아 올렸다. 국내에서 세 번째로 높은 건물인 '파크원'은 여의대로 108 일대에 지상 53층·69층 빌딩 2개 동과 서울 최대 규모의 백화점 '더현대 서울', 국내 최초 '페어몬트 앰배서더 호텔'이 입점한 복합문화 시설이다. 더현대 서울은 10년 만에 등장한 서울의 새 백화점으로 코로나19 시국에도 인파가 몰려 인근 도로가 마비될 정도였다. 특히 MZ세대들의 관심을 받으며 젊은 층을 여의도로 끌어들였다.

노후 공장과 성매매 업소가 뒤섞여 서울 시내 대표적인 낙후 지역으로 손꼽혔던 영등포뉴타운은 천지개벽이라는 말이 나올 정도로 서울 도심으로 승격 후 서울에서 가장 급격한 변화를 겪고 있는 곳 중 하나다. 지하철 한 정거장으로 이동이 가능한 여의도의 배후 주거지로서의 입지가 탄탄할 뿐 아니라 현재 서울에서 개발 호재가 가장 많은 용산과 가산, 마포 등 주요 업무지구와 뛰어난 직주 근접성을 보유하고 있다는 강점으로 재개발이 한창이다.

노후 저층 상가 등이 밀집한 지하철 5호선 영등포시장역 일대에 3,500가구 규모의 주상복합이 들어서며 영등포역 인근 쪽방촌은 2023년까지 주거상업복지타운의 공공주택지로 탈바꿈할 예정이다. 서울에 마지막으로 남아 있던 집창촌 역시 정비되어 최고 44층 규모 6개 동이 수용 가능한 주상복합단지로 거듭날 전망이다. 탁 트인 영등포 만들기로 영등포 로터리 고가는 철거

후 녹지공원으로 조성, 2025년에는 서남권 유일의 대형 공연장인 제2의 세종문화회관이 들어서며, 대선제분 부지에 문화발전소가 건립되는 등 문화예술 중심도시로의 특화까지 잡겠다는 목표다.

서남권의 교통 호재는 두말할 것도 없다. 신월여의지하도로와 서부간선지하도로가 개통했고, 신안산선 연장라인과 GTX-B, GTX-D까지 이곳을 주목하지 않을 수 없을 것이다.

▶ 신월여의지하도로(옛 제물포터널) 2021년 4월 개통

경인고속도로를 빠져나와 서울 내부로 진입하려는 차가 몰리는 지점이라 평일 출퇴근 시간마다 상습 정체 구간이었던 국회대로가 지하화로 숨통이 트였다. 그동안 출퇴근 시간대에 신월IC에서 여의도까지 54분가량 걸리던 길이 터널 개통 이후 약 18분대로 단축됐고, 신월IC 입구로 진입하는 차량이 여의도까지 최단 8분만에 이동할 수 있게 됐다. 더불어 도로 상부에는 숲길처럼 길을 따라 오갈 수 있는 선형 공원이 2025년 완공을 목표로 조성될 예정이어서 기대를 모으고 있다. 무려 서울광장의 8배 크기로 길이 7.6km, 폭 45~55m의 초대형 공원이다.

▶ 서부간선지하도로 2021년 9월 개통

서남부지역의 대표적인 정체 구역으로 꼽혔던 영등포구 양평동부터 금천구 독산동까지 이어지는 길이 10.33km 왕복 4차로 지하도로로 변모했다. 성산대교 남단에서 금천IC까지 30분대에서 20분대로 출퇴근 통행 시간을 단축해줄 것으로 예상되며 도로 상부에는 기존 차도 폭이 줄어든 공간에 녹지가 조성돼 주민 친화형 공간으로 거듭날 전망이다.

▶ 신안산선 연장라인 2024년 개통 예정

경기도 안산·시흥에서 서울 여의도까지 총 15개 역을 거치는 44.7km의 지하철 노선이 개통되면 기존에 약 100여 분이 소요되던 한양대역에서 여의도역 이동 시간이 약 25분으로, 약 69여 분이 소요되던 원시역에서 여의도역까지도 약 36분으로 크게 단축될 예정이다.

▶ 수도권 광역 급행 철도 GTX-B, GTX-D 노선 개통 예정

GTX-B 노선은 송도-마석 간 길이 80.1km 구간(인천과 경기도 북동부권)을 서울역 등 13개 역에 걸쳐 연결하며 개통 후 여의도역에서 청량리역까지 35분에서 10분으로, 기존 통근 시간에서 절반 이상 단축된다. GTX-D 노선은 신도림역(2호선 환승역)과 여의도역(9호선 환승역)을 거쳐 용산역까지 직결 운행이 개통되면 김포 장기역에서 여의도역까지 24분, 용산역까지는 28분 만에 이동이 가능해진다.

15억 원 대출금지선 돌파 목전, 마곡

마곡은 현재 다른 지역에 비해 상대적으로 인지도는 떨어지지만, 서북권의 상암과 견주며 발 빠른 투자가들 사이에서 1970년대 강남 개발 이후 이런 호재는 없었다며 서남권의 '숨은 진주'라 일컬어진다. 국토교통부 실거래가 공개시스템에 따르면 마곡지구 내 '마곡13단지 힐스테이트마스터' 전용면적 84㎡는 2021년 6월 14억 9천만 원에 거래되며 역대 최고가를 기록했다. 2주 만에 8천만 원이 오른 가격으로 최초 분양가 5억 3,060만 원에서는 무려 3배 가까이 뛴 것으로 알려진다. 현재 투기과열지구에서 시중은행의 대출이 전면 금지되는 고가주택의 기준점인 시세 15억 원 돌파를 목전에 두고 있는 만큼 세간의 이목을 집중시킬 만한 놀라운 상승세다.

김포공항 및 상암과 연계, 대규모 개발 가용지를 활용하여 신규 지식기반산업을 창출하겠다는 목표 아래 마곡 마이스MICE* 복합단지 개발, 김포공항 복합개발사업, 대기업 이주 등 개발사업이 발 빠르게 현실화되고 있어 가파른 집값 상승의 동력으로 작용하고 있다는 것이 업계 설명이다. 강남 삼성동에 위치한 코

---

* 마이스 산업은 기업회의Meeting, 포상관광Incentives, 컨벤션Convention, 전시Exhibition 네 분야를 말하는 서비스 산업이다. 기존 관광이 B2C라면 마이스는 B2B로 기업 대상의 산업 부가가치는 일반 관광산업보다 훨씬 높다.

출처: 롯데건설, 이지스리뉴어블

마곡 마이스 CP2 블록의 르웨스트(위)와 CP4 블록에 들어서는 원웨스트 서울(아래)의 모습이다. 이로서 마곡지구 '게이트웨이 프로젝트'가 윤곽을 드러냈다.

엑스의 2배 규모의 마곡 마이스 복합단지에서 첫 분양 스타트를 끊은 생활숙박시설(레지던스) '롯데캐슬 르웨스트LE WEST(2024년 준공 및 입주 예정)' 청약은 57만 5,950건이 접수되면서 평균 657대 1의 경쟁률을 기록했다. 마곡지구 중심부에는 초대형 상업·업무 복합시설인 '원웨스트 서울One West Seoul'이 2021년 하반기 착공 예정이다.

마곡의 경우 오피스텔 분양이 호조를 보이고 있으나 수익률은 1~2% 수준이다. 입지 대비 웃돈이 지나치게 높은 경우가 많은 만큼 무리한 대출을 낀 투자는 금물이다. 지역 일대에 대규모 개발과 호재가 잇따라도 구역마다 편차가 심한 만큼 '묻지마 투자'는 경계해야 한다. 신축건물의 경우 가격이 이미 급등한 데다 재개발 사업이 십수 년에 걸쳐 답보상태였던 영등포, 신길뉴타운처럼 구역 개발 속도가 더뎌질 수 있기 때문이다. 신축일수록 대출에는 인색해야 한다.

국제적 관광과 쇼핑기반의 중심지, 동남권

강남, 서초, 송파, 강동, 타 지역과 비교해 상대적으로 깔끔한 주거단지에 쟁쟁한 학군들이 포진해 있어 '부동산' 하면 서울 안에서 둘째가라면 서럽기로 손꼽히는 동남권은 '이미 오를 만큼 올랐는데 또?'라는 감탄사가 절로 터져 나올 정도로 '또' 오름세다.

2021년 4월에만 해도 22억 원에 거래된 잠실종합운동장 근처 우성아파트(전용면적 131㎡)가 6월 26억 9천만 원에 거래돼 두 달 사이 5억 원가량 상승하는가 하면, 삼성동 래미안 삼성 1차(전용면적 122㎡)는 2020년 중순 21억 5천만 원에서 2021년 3월 27억 8천만 원으로 1년이 채 안 되는 사이에 무려 6억 3천만 원이 올랐다. 그야말로 폭증이라고 할 만한 상승세다.

잠실 스포츠·마이스 복합단지

잠실은 현재 우성아파트를 포함한 대규모 재건축 열기와 더불어 잠실 운동장 일대를 개발하는 '스포츠 · 마이스 복합공간 조성사업'이 '역대급'이라는 수식어를 동반하며 추진에 박차를 가하고 있다. 2025년을 완공 시점으로 잡은 해당 사업은 잠실 운동장 일

출처: 서울시

서울 국제교류복합지구 수변생태·여가문화 공간조성 사업의 대상지 및 위치도다. 잠실 마이스, 현대차 사옥, 영동대로 광역복합환승센터 등 굵직굵직한 개발들이 계획되어 있다.

대(서울 송파구 잠실동 10번지)와 한강 · 탄천, 영동대로를 컨벤션, 스포츠, 교통이 결합된 허브이자 국제교류 복합지구로 개발하겠다는 취지다. 반세기 만에 서울 강남권에서 추진되는 가장 큰 규모의 개발사업으로 잠실 운동장 41만 4,205㎡ 부지에 강남 삼성동에 위치한 코엑스 3배 규모의 전시장과 회의시설, 스포츠 컴플렉스(1만 1천 석), 야구장(3만 5천 석), 수영장(5천 석), 마리나 등 수상레저 시설, 호텔(객실 900개), 문화상업 시설 등이 들어올 예정이며, 51만 3,448㎡의 한강 · 탄천 공원화, 올림픽대로 지하화 등이 병행될 계획이다.

삼성동, 강남에서 가장 비싼 땅이 될 수도 있다

잠실의 복합단지 조성사업은 탄천을 사이에 두고 맞닿아 있는 삼성동과 시너지를 누리게 된다. 2026년 준공을 계획하고 있는 현대차 신사옥인 삼성동 글로벌 비즈니스 센터GBC를 중심으로 좌 코엑스, 우 잠실 주 경기장이 지상 · 지하를 아우르며 연결된 하나의 거대 도시처럼 변모할 예정이다. 옛 한국전력 부지에 국내 최고 높이인 지하 7층~지상 105층에 달하는 GBC에는 업무, 상업, 관광숙박 시설과 공연장 등의 시설이 들어설 예정이다. 이는 코엑스와 도로 하나를 사이에 두고 마주 보고 있다.

잠실 야구장의 30배에 달한다는 영동대로 복합개발사업은 영동대로 지하 공간 면적 22만㎡에 지하로 연결되는 코엑스와 GBC의 면적까지 합하면 41만 5,930㎡의 국내 최대 지하도시다. 이 사업의 핵심은 강남권 광역복합환승센터라 할 수 있다.

삼성역-봉은사역 일대 영동대로 구간에는 지하철 2·9호선과 GTX-A·C, 위례신사선 등 5개 노선이 지나는 광역복합환승센터(지하 7층 규모)가 2028년 완공을 목표로 2021년 6월 착공에 들어갔다. 1조 원이 넘게 투입되며 기존 도로를 지하화해 지상에는 1만 7천㎡ 규모의 녹지광장 조성 등 코엑스와 GBC를 이으며 탄천, 잠실 마이스 복합단지까지 연결하겠다는 목표다.

'새길 효과' 서초구 내방역 일대

서초대로와 방배로의 교차점에 위치한 내방역 일대는 서초구 역세권 중 상대적으로 관심에서 소외되던 곳으로 불과 몇 년 전까지만 해도 업계 전문가들조차 가치를 절하했다가 최근 알음알음 입소문을 타고 있는 지역이다. 20~30년 이상 노후한 다세대주택 밀집지에 생활편의시설이나 도시기반시설이 부족해 그동안 무늬만 서초라 불렸다. 이렇게 주거환경이 열악하다는 지적을 받아왔던 일대가 '서리풀터널' 개통으로 반전을 맞았다.

2019년 4월 개통된 서울 서초구 서리풀터널은 그간 단절됐던 내방역과 서초역 사이를 직선으로 연결한 터널로 해당 구간의 차량 운행 시간이 기존 25분에서 빠르게는 5분까지 단축됐다. 40여 년간 동서로 단절됐던 서초와 방배 지역 일대의 생활권이 연결됨으로써 유동인구와 교통량이 증가하는 동력으로 작용했다.

호재를 이어가고자 서초구는 2020년 5월 방배동 874-5일대에 21만 2,856㎡의 지구단위계획을 발표했다. 이는 서울시에서 지구단위로 이뤄지는 계획 중 가장 큰 규모다. 주목할 만한 부분은 내방역 인근의 용도 지역을 제2, 3종 일반주거지역에서 준주거지역으로 상향해 건물의 용적률과 면적 제한을 완화해준다는 것이다. 이렇게 되면 용적률을 400%까지 적용 가능하고 최대 높이 80m의 건물을 지을 수 있게 된다.

이와 더불어 강남역-내방역-이수역을 잇는 서초대로는 보행공간의 연속성을 고려해 보행환경을 개선하고 가로 활성화 방안을 모색, 내방역 일대는 현재 교통 호재에 대규모 주택 재건축

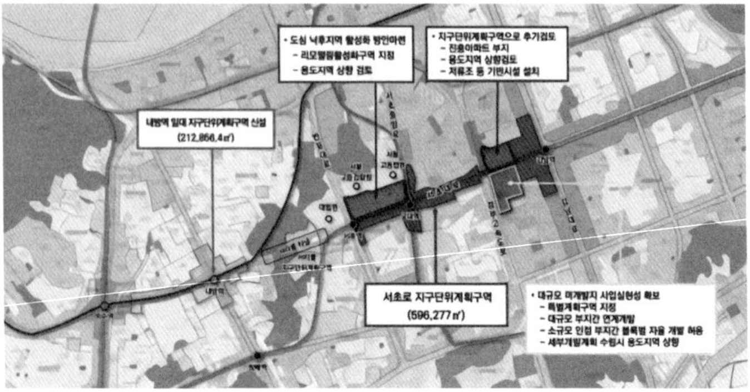

출처: 서울시 서초구

서초구는 2020년 5월 강남역에서 서초역을 잇는 서초대로 일대 58만㎡의 지구단위계획 재정비안을 내놓았다. 주요 내용은 대규모 부지 소유자별 특별계획구역 분할, 진흥아파트 구역 편입, 높이규제 완화, 상업지역 이면부 용적률 적용기준 개선 등이다.

사업, 여기에 고급상업시설 확충까지 가세했다. 문화와 휴식과 쇼핑 공간을 한데 어우르며 서초구 경제 문화의 중심축에서 나아가 강남의 신흥 부촌으로 가치 증진을 도모하며 도약 중이다.

내방역 상권은 유동인구보다 배후 소비 세력에 더 의존했던 대표적인 상권으로 이런 경우 유동인구가 높아지고 보행환경이 개선된다면 높아진 접근성이 주변의 재건축 지역과 융화를 이뤄 상권을 보다 확대·확장할 수 있을 것으로 예측할 수 있다. 상권이 확대되면 그만큼 건물의 가치도 증폭되니, 소비 세력의 확대는 곧 나의 월'세'력의 확대다.

교통 수혜지 만한 곳 없다, 수도권

최근 가파른 부동산 가격 급등세는 비단 서울에만 국한된 것은 아니다. 수도권 지역의 부동산 역시 정부가 금융권을 통해 대출 규제를 강화하고, 한국은행이 금리 인상에 나섰음에도 불구하고 흡사 수직적인 상승세를 보이고 있다. 부동산을 안정화하겠다는 취지로 정부가 발표한 각종 규제에 서울이 꽉꽉 막히니 수도권이 튀어 오르는 풍선 효과가 크다고 해도 과언이 아니다. 안 오르는 곳 없이 전국이 들썩인다는 자조 섞인 원성이 나올 정도로 모두가 오른다고 하니 서울이 아니라면 수도권의 빌딩이라도 하루빨리 장만하는 것이 능사일까?

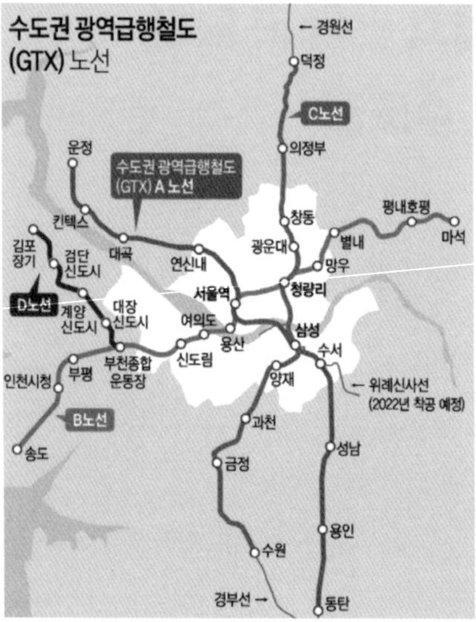

출처: 국토교통부

수도권의 부동산 시장은 GTX가 핵심이다. 현재 발표된 4개 노선도를 보면 어떤 곳이 성장 가능성 있는지 그 흐름을 알 수 있다.

수도권은 뭐니 뭐니 해도 GTX의 개통이 중요 변수로 작용할 예정이다. 현재 발표된 4개 노선도를 보면 수혜가 예상되는 지역들을 알 수 있다.

GTX-A노선의 거점, 성남

2021년 8월 말 기준 서울(4.07%)의 4배에 육박하는 상승률로 경기도(15.03%)의 땅값이 치솟고 있다. 그중 전체 GTX 노선 중 가장 먼저 공사를 시작해 가장 먼저 개통될 예정인 A노선의 거점인 성남역은 수서역까지 약 5분, 강남 삼성역까지 약 8분, 서울역까지 약 13분이면 도착할 수 있어 기존의 분당선과 신분당선을 이용했을 때 보다 최소 60% 이상의 시간 절감이 예상된다. 앞서 언급한 개발 이슈들과 연계할 때 현재 강남 개발권의 핫 플레이스로 꼽히는 삼성역까지 단 8분 만에 도착한다는 점은 환승센터를 중심으로 한 성남역 인근의 땅값 상승을 끌어내고도 남을 만한 핵심 요소다.

또한 소음 구간에 방음터널을 설치하고 터널 위에 흙을 덮는 덮개 공원 형식의 굿모닝 파크가 2021년 말 완공 예정으로 이는

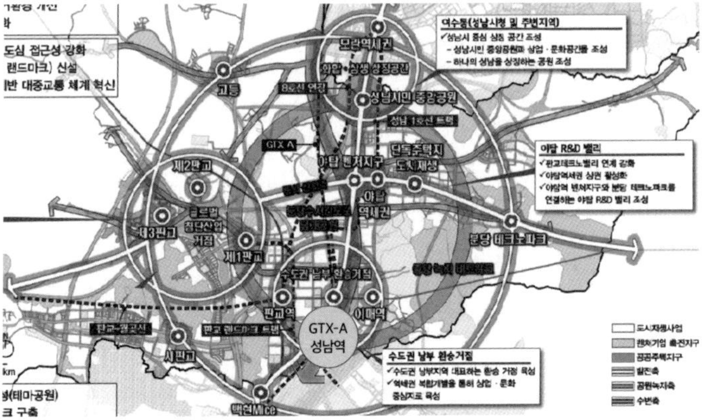

출처: 성남시

'2035 성남도시기본계획'은 GTX-A노선을 중심으로 8개 노선이 맞닿아 경기 남부의 교통 핵심 지역으로의 도약을 보여준다.

판교-성남-이매 3개 역을 도보로 이동 가능케 하며, GTX 삼성역뿐 아니라 강남역(신분당선), 선릉역(분당선), 수서역(분당선, GTX), 서울역(GTX)을 환승 없이 이용할 수 있게 도와줄 예정이다.

결론적으로 8개의 전철, 철도, 트램 노선(GTX-A, 신분당선, 분당선, 8호선, 월판선, 경강선, 성남1호선, 성남2호선)과 판교, 성남, 이매 3개 환승역을 도보로 이용할 수 있는 경기 남부의 교통 핵심 지역으로 도약할 예정이다. 월판선, 경강선의 경우 전철 가운데 속도가 가장 빠르면서 판교를 중심으로 인천부터 강릉까지 대한민국의 동서를 관통하는 노선인 만큼 서울에서도 서울역, 청량리역 등과 견줄 수 있을 만큼의 파급력을 갖게 된다.

GTX-B노선의 출발지, 인천

국토교통부 산하의 부동산 조사·관리 및 공시·통계 전문기관, 한국부동산원의 통계에 따르면 2021년 들어서 8월 말까지 아파트값이 가장 많이 오른 행정구역은 인천(16.16%)으로 이는 무려 서울(4.07%) 상승률의 4배에 달하는 수치다.

인천 내에서도 주목할 만한 곳은 단연 송도다. 경제자유구역인 송도국제도시는 국제병원·바이오 관련 연구시설이 집적된 바이오산업, 융합기술형 산업혁신 클러스터 기반의 첨단 R&D

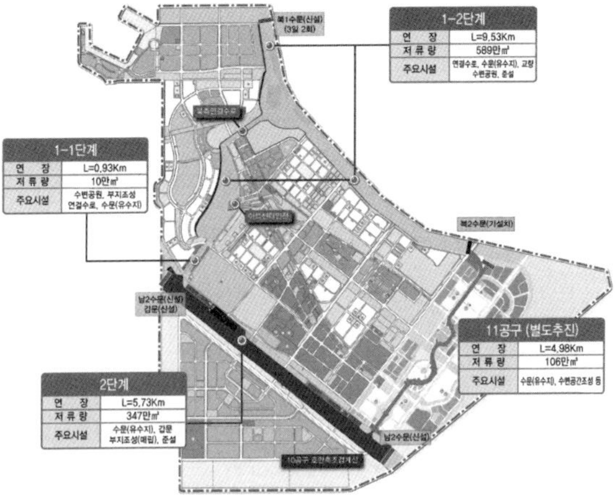

출처: 인천경제자유구역청

인천 송도국제도시 워터프런트 프로젝트(위)는 2019년 시작된 1단계 사업에 이어 2단계 사업이 본격화되면서 지역 경쟁력이 한층 강화될 전망이다. 조감도(아래)에서 볼 수 있듯이 엄청난 규모의 워터시티가 탄생할 예정이다.

분야, 복합지구 조성 및 국제기구와 연계한 마이스 산업 분야의 거점으로 중점전략을 짜고 미래형 전략산업 육성에 초석을 마련하겠다는 각오로 지자체 중심의 계획개발에 한창이다.

'물의 도시 송도'라는 캐치프레이즈catchphrase 아래 이탈리아 베네치아를 벤치마킹해 도시 외곽에 물길을 내는 '워터 프런트'가 2019년 4월 착공했고, 송도국제도시 외곽 16km를 'ㅁ'자로 연결해 교량, 수문, 인공해변, 수상 터미널, 해양스포츠 체험장 등을 신설해 인천을 대표하는 해양친수 거점 공간으로 개발될 예정이다. 이는 송도 랜드마크 시티, 국제업무지구의 품격을 높여주는 수변 경관을 창출하고, 물에 접하는 수변 주거단지를 조성함과 더불어 예술·축제·문화가 특화되어 고품격 문화쉼터를 제공할 것으로 보인다. 수변 레포츠를 즐기며, 습지 교육도 체험할 수 있는 건강하고 활력 넘치는 생활 밀착적인 가족 공원도 꾸려질 전망이다.

GTX-C노선의 출발지, 수원

GTX-C 노선의 출발지인 수원역을 중심으로 수원에서 계획 개발하는 지역들도 주목할 만하다. 수원역뿐 아니라 광교와 영통이 지금까지 서브 중심지로서의 역할을 담당했다면 새롭게 추가된

출처: 수원시

'2030 수원도시기본계획'의 공간기본구상도다. 수원은 원도심 도시재생을 통해 주변 부도심과의 불균형을 해소하고, 원도심 주변 지역까지 도시재생사업을 확산할 계획이다.

정자동, 오목천, 호매실의 상업 발전 가능성과 수원비행장 이전에 따른 수혜 예상 지역으로 세류 등 인근 지하철 1호선 라인의 재개발, 재건축 역시 업계에서는 꾸준한 관망 요인 중 하나다.

—

수도권의 부동산이 가파른 상승률을 보이고 있다면 서울의 호재 지역들보다 조금 더 냉정한 시각을 유지할 필요가 있다. 기존에 메리트가 있던 지역들의 규제에 따른 반사이익으로 부풀어 오르기 쉽고 이는 곧 규제가 해제되면 쉽게 꺼질 수 있음을 방증하기 때문이다. 부동산은 주식이나 코인처럼 단타로 넣고 뺄 수 있는 속도의 싸움에서는 현저히 뒤떨어진다는 점을 한 번 더 상기하자. 과감한 투자가 하이 리턴high return으로 안전한 착지가 되면 좋겠지만 잔뜩 부풀어 오르다 뻥 터져버리는 하이 리스크high risk를 절대 간과해서는 안 된다.

에필로그

부동산 관련 업무 중 필자가 가장 먼저 뛰어든 분야는 경매 컨설팅이었다. 부동산이라는 영역에서 가장 어렵다는 일에 먼저 도전해보고 싶었다. 부채를 상환하지 못해 경매에 넘어간 물건들이 입찰에 들어가기 전 가장 낙찰가에 근접한 금액을 예상해 고객들에게 제시해주는 일이었다. 처음 뛰어들 때만 해도 복잡한 권리관계를 분석해 문제를 풀어나갈 기대감에 부풀어 있었고, 고객들에게도 큰 수익을 안겨줄 수 있는 매우 흥미롭고 의미 있는 일이라고 생각했다. 하지만 현실은 달랐다. 많은 피해자들의 고통을 지켜봐야 했고, 그 고통을 견뎌서 이뤄내는 수익이 낙찰자에게

전해지기까지의 과정은 결코 아름다울 수 없는 순간이었다.

이후 다양한 영역을 거쳐 입문하게 된 빌딩 매매 컨설팅 분야는 성장 시기가 불과 20여 년에 지나지 않지만, 급속히 확산되고 있으며 앞으로 그 시장은 더욱 커질 것으로 전망하고 있다. 개인적으로 꼽는 빌딩 매매 컨설팅의 매력이라면 첫째, 평소 동경해온 자수성가형 사업가들을 자주 접할 수 있다는 점이다. 사업을 통해 수익이 발생하고 이익잉여금이 누적되면 대부분 재투자 reinvestment 계획을 세운다. 이 과정에서 누군가는 사업에 재투자하는 길을 택하고, 누군가는 부동산에 투자하는 길을 모색하기도 한다. 시대의 변화에 따라 산업별 흥망성쇠가 갈리고 확장했던 사업이 어려워지는 상황에 놓이기도 하지만, 적어도 현재까지 부동산에 투자했던 사업가는 본인의 사업이 좋지 않을 때도 자산가치의 상승을 겪었다. 포트폴리오 효과portfolio management로 손실 방지risk hedge를 도모할 수 있었기 때문이다.

둘째, 빌딩을 처음 매입하려는 분들이 종사하고 있는 업종을 보면 산업의 트렌드를 자연스럽게 알게 된다. 최근에는 어떠한 산업군의 사업에 종사하는 기업가들이 이익을 많이 창출하고 있는지 간접적으로 체감할 수 있다. 과거에는 전통적인 제조업, 건설업 등의 분야에 종사하는 고객이 주를 이루었다면 최근에는 IT, 교육, 온라인 유통, 엔터테인먼트 관련 업종에 종사하는 고객이 증가하는 추세다. 금융업에 종사하는 고객은 과거나 현재나 꾸준하다. 예전에는 은퇴를 준비하거나 사업에 성공한 60~80대가 주 연령층이었다면 요즘은 투자에 관한 공부를 많이 한 30~40대들도 꼬마빌딩 매입에 적극적으로 뛰어드는 등 빌딩투자자들이 젊어지고 있다는 점도 눈에 띄는 변화다.

풍부한 유동성과 2016년 이후 지속된 장기적인 저금리 기조로 주식과 부동산 등의 자산가치가 상승했고 그에 따른 수요 역시 꾸준히 증가하고 있다. 2021년 주택 시장이 전례 없던 호황기를 맞이하며 급격하게 거래량이 급증했고, 상업·업무용 부동산 거래량은 30만 건 이상을 꾸준하게 유지하고 있다. 정부의 주거용 부동산에 대한 규제가 지속됨에 따라 그에 비해 레버리지 투자가 용이한 수익형 부동산에 대한 투자자들의 관심은 더욱 높아질 것으로 예상된다.

또한 자본적 소득을 주 수입으로 노후를 준비하는 은퇴 세대들에게도 부동산은 안전자산으로 인식되는 좋은 투자처다. 요즘의 은퇴 세대는 반드시 노년층에 국한되지 않는다. 영혼까지 끌어모아 아파트를 마련하고자 하는 영끌족부터 30대 말이나 늦어도 40대 초반까지는 조기 은퇴하겠다는 목표로 회사 생활을 하는 20대, 소비를 극단적으로 줄이며 은퇴 자금을 마련한다는 파이어족들에게도 경제적 자립을 꿈꾸기 위한 자본적 소득에 대한 열망이 그 어느 때보다 뜨거운 시기를 우리는 살아내고 있다.

필자의 기준에서 거래되지 않는 건물은 없다. 다만, 수요와 공급에 따라 가격이 결정될 뿐이다. 오래전 정보가 한정적이었던 시절에 거래되던 건물의 가격은 적정가라는 것이 없었던 것 같다. 수익률과 중개인의 이야기만 듣고 거래되던 시절의 이야기다. 하지만 현재는 비공개 정보란 거의 없다. 예전만큼 아주 큰 이득을 취할 수 있는 시기는 아니지만 그만큼 손품, 발품만 잘 팔아도 실패의 확률이 낮아진다. 입지도 좋고 수익률도 좋은데 가격까지 싼 건물이 시장에 나온다? 결코 쉽지 않다. 특히나 지금 같이 매도자 우위 시장에서는 선택지조차 많지 않아 투자자의 결정을 더욱더 더디게 만든다. 하지만 열심히 공부하고 남들보다 더 빠르게 움직인다면 분명 가치 있는 '내 건물'을 발견할 수 있을 것이다.

뻔하다고 할 수 있지만 넘겨서는 안 될 팁이라면 다음의 다섯 가지를 들 수 있다.

1. 입지와 가시성이 좋은가

수익형 부동산에서 공실 리스크는 항상 존재한다. 입지와 가시성이 좋은 건물은 공실이 나도 임대료만 적정하다면 리스크를 확 낮출 수 있다.

2. 뜰 만한 동네인가

입지와 가시성이 떨어져도 수요가 많거나 앞으로 뜰 만한 동네라면 시세차익을 기대할 수 있다. 그 동네 자체에 이슈가 있어 전체적으로 가격이 상승하고 있는 곳이라면 다소 입지가 떨어져도 가격 동반 상승을 기대할 수 있다.

3. 인터넷 로드뷰는 실제 오늘을 담은 사진이 아니다

공부만 하지 말고 현장을 돌자. 내가 잘 아는 지역이 아니라면 꼭 답사를 하여 현장 분위기를 확인해보자. 요즘은 인터넷 로드뷰를 통해 현장을 가지 않아도 거의 현장에 가본 것과 같은 효과를 볼 수 있지만, 과거에 촬영한 사진이 대부분이므로 현장에서만 느낄 수 있는 분위기를 직접 느껴보는 것이 중요하다. 답사 시에는 꼭 건물 내부를 보라는 것이 아니라 지도에서는 대로 옆 건물이었지만, 실제는 고가 옆 급경사여서 접근이 어려운 곳일 수도 있고, 유동인구와 가시성을 직접 눈으로 확인하며 호재가 있다면 앞으로 어떠한 모습으로 바뀔지, 어떠한 임차인들이 들어올 수 있을지 그림을 그려보는 게 큰 도움이 될 수 있다.

4. 스스로 혜안을 갖고자 욕심내자

현재는 가치 없어 보이는 건물이라도 임대료 개선 등 건물의 가치를 상승시킬 수 있는 방법을 잘 찾을 수 있다면 남들이 보지 못하는 좋은 매물을 발견할 가능성이 그만큼 커진다.

5. 높은 임대료에 속아도 된다

부동산 관련 책들을 보면 주변 임대료 대비 높은 임대료에 속지 말라고 주의를 준다. 높은 임대료를 책정해 놓고 좋은 가격으로 매각 후 바로 임차인들이 빠져나가는 상황이 생기는 경우를 대비하기 위함이다. 하지만 건물 가격이 시세 대비 적정하고 임대차 계약 기간이 안전하게 체결되어 있다면 높은 임대료를 받던 임차인이 나간 후 다시 적정한 임대료를 받을 수 있게 되는 경우 같은 투자 금액으로 더욱 높은 임대료를 받을 수 있는 기회가 일정 기간 추가로 생기게 된다는 것을 알아두자. 필자가 아는 빌딩부자들의 상당수는 남들이 위험하고 어렵다고 생각하는 곳에서 최악의 상황을 미리 준비하고 해결방법을 모색해서 투자해 그 자리에 이를 수 있었다.

저성장, 저출산, 노령인구 증가, 저금리, 고실업이 전 세계적으로 진행되고 경기 활성화를 위한 다양한 정책들로 인해 통화량이 증가하여 현물 가치는 가파르게 상승했다. 부동산 역시 각종 규제와 코로나19로 인한 경기침체에도 불구하고 무서운 속도의 가격 갱신과 거래량을 보여 왔다. 물가 상승과 높은 부채비율을 우려한 금융당국은 가계대출을 거칠게 조여 가고 있어 주식과 부동산 시장에 급제동이 걸릴 것이라는 우려의 목소리도 높다.

하지만 다양한 전문가들의 의견에 따르면 코로나19 팬데믹으로 인해 생겨난 새로운 비즈니스에 대한 투자로 경제는 다시 정상적으로 돌아가는 단계에 있고, 2022년 초까지 백신 접종률이 높아지고 위드 코로나의 단계적 일상회복이 크게 지연되지 않는다면 지금 상황에서 수익형 부동산 시장은 안정적인 성장을 지속할 것이라고 전망하고 있다. 이에 그동안 급등한 아파트를 매입할 자금으로 레버리지를 활용해 수익형 꼬마빌딩에 투자하려는 투자자들이 대거 유입되고 있는 가운데 과열된 시장에 관한 이야기 또한 넘쳐나는 정보의 홍수 속에서 필자는 이 책이 보다 빠르고 보다 다르게 시야를 넓히고 싶은 당신을 위한 큐레이션을 지향하며 '빌딩'으로 향하는 당신의 초행길에 함께한다면 더할 나위 없을 것 같다.

빌딩 투자, 그들은 어떻게 하는가

레버리지 투자의 정석

초판 1쇄 발행 2021년 11월 29일

지은이 이명희
펴낸이 성의현
펴낸곳 ㈜미래의창

편집주간 김성옥
책임편집 김효선
구성 및 집필 김정은
홍보 및 마케팅 연상희 · 김지훈 · 김다울 · 이보경 · 이희영

출판 신고 2019년 10월 28일 제2019-000291호
주소 서울시 마포구 잔다리로 62-1 미래의창빌딩(서교동 376-15, 5층)
전화 070-8693-1719 **팩스** 0507-1301-1585
홈페이지 miraebook.co.kr
ISBN 979-11-91464-57-3 03320

※ 책값은 뒤표지에 있습니다. 잘못된 책은 바꿔 드립니다.

생각이 글이 되고, 글이 책이 되는 놀라운 경험. 미래의창과 함께라면 가능합니다. 책을 통해 여러분의 생각과 아이디어를 더 많은 사람들과 공유하시기 바랍니다.
투고메일 togo@miraebook.co.kr (홈페이지와 블로그에서 양식을 다운로드하세요)
제휴 및 기타 문의 ask@miraebook.co.kr